人文武术精品书系

勿使前辈之遗珍失于我手
勿使国术之精神止于我身

薛颠

灵空禅师点穴秘诀

武学名家典籍丛书

薛颠武学辑注

薛颠·著

王银辉·校注

北京科学技术出版社

靈空禪師點穴秘訣

感谢王占伟先生收藏并提供版本

出版人语

武术作为中华民族文化的重要载体，集合了传统文化中哲学、天文、地理、兵法、中医、经络、心理等学科精髓，它对人与自然和谐共生关系的独到阐释，它的技击方法和养生理念，在中华浩如烟海的文化典籍中独放异彩。

随着学术界对中华武学的日益重视，北京科学技术出版社应国内外研究者对武学典籍的迫切需求，于2015 年决策组建了“人文·武术图书事业部”，而该部成立伊始的主要任务之一，就是编纂出版“武学名家典籍”系列丛书。

入选本套丛书的作者，基本界定为民国以降的武术技击家、武术理论家及武术活动家，而之所以会有这个界定，是因为民国时期的武术，在中国武术的发展史上占据着重要的位置。在这个时期，中、西文化日渐交流与融合，传统武术从形式到内容，从理论到实践，都发生了巨大的变化，这种变化，深刻干预了近现代中国武术的走向。

这一时期，在各自领域“独成一家”的许多武术人，之所以被称为“名人”，是因为他们的武学思想及实践，对当时及现世武术的影响深远，甚至成为近一百年来武学研究者辨识方向的坐标。这些人的“名”，名在有武术的真才实学，名在对后世武术传承永不磨灭的贡献。他们的各种武学著作堪称为“名著”，是中华传统武学文化极其珍贵的经典史料，具有很高的文物价值、史料价值和学术价值。

目前，“武学名家典籍”丛书，已出版了著名杨式太极拳家杨澄甫先生的《太极拳使用法》《太极拳体用全书》，一代武学大家孙禄堂先生的《形意拳学》《八卦拳学》《太极拳学》《八卦剑学》《拳意述真》，武学教育家陈微明先生的《太极拳术》《太极剑》《太极答问》。本套《薛颠武学辑注》收入了民国时期著名形意拳家薛颠先生于民国十八年（1929年）至民国二十二年（1933年）间出版的《形意拳术讲义》《象形拳法真诠》《灵空禅师点穴秘诀》三本著作，并附录金倜庵先生编著的《少林内功秘传》一部（该书讲解的易筋经练习法和少林五拳等内容对理解薛颠武学颇有帮助），共分为四册出版。薛颠对形意拳的贡献是继承和发扬，他的象形拳更是为形意拳独辟蹊径，他的几部著作，是形意拳研究和学习者不可绕过的经典。

这些名著及其作者，在当时那个年代已具有广泛的影响力，而时隔近百年之后，它们对于现阶段的拳学研究依然具有指导作用，依然被武术研究者、爱好者奉为宗师，奉为经典。对其多方位、多层面地系统研究，是我们今天深入认识传统武学价值，更好地继承、发展、弘扬民族文化的一项重要内容。

本丛书由国内外著名专家或原书作者的后人以规范的要求对原文进行点校、注释和导读，梳理过程中尊重大师原作，力求经得起广大读者的推敲和时间的考验，再现经典。

“武学名家典籍”丛书，将是一个展现名家、研究名家的平台，我们希望，随着本丛书第一辑、第二辑、第三辑……的陆续出版，中国近现代武术的整体风貌，会逐渐展现在每一位读者的面前；我们更希望，每一位读者，把您心仪的武术家推荐给我们，把您知道的武学典籍介绍给我们，把您研读诠释这些武术家及其武学典籍的心得体会告诉我们。我们相信，“武学名家典籍”丛书这个平台，在广大武学爱好者、研究者和我们这些出版人的共同努力下，会越办越好。

发愤著书（代序）

——2001 年薛颠武学再现事件追记

庚子年（1900 年）前，文化阶层约占全国人口的4%，那时看四书五经，识字便是知理，不是文盲，就一定是文化人。

庚子年后，废了四书五经，识字人日众，但文化阶层仍是4%，并无提高，欧美日学术汪洋灌入，错综复杂，难以辨析，文化门坎变高，识字不等于知理了。

在四书五经不再作为文化标准的时代，有些民众还认老理，出现一种奇特现象：有的人几乎是文盲，但接触他的人都认为他很有文化。民国武术家唐维禄近乎文盲，尚云祥将将能看报纸，凭着认识不多的字，半猜着看，如同中国人在日本街头能看懂告示牌的状况。

在新派人和老派人里，识字都不是有文化的标准了，老派人看，你的生活习惯、思维方式还是传统的，就是有文化了。唐维禄和尚云祥均被认为是比大学教授还文雅的人。

传统文化人要“发愤著书”，不是生了一肚子闷气而有了写书动力，“发愤”不是指在具体事上受了谁欺负，而是自认命薄，这辈子没有机会立功立名，那么就立言吧——发愤，是还有可努力的，那就努力吧。

“努力”一词不是清末时扒来的日文词汇，是唐朝高僧嘱咐徒弟的用语，要连用两遍，为“努力努力”，意思是“就是这个了，就是这个了，别弄丢了”。

习武人多属老派，老派人有发愤之志。李存义有一部著作，将前辈老谱和个人心得编纂在一起，友人帮忙成文，私家印刷本，传给嫡传弟子作身份证明，从未面世。尚云祥也有一部著述，友人帮忙成文，未印刷，稿本和手抄副本，(20 世纪) 20 年代末 30 年代初期，为防止泄露给驻京外国人而销毁。

历经战乱、政改、世变，李、尚著作希望还在世，或留惠于子孙，或当年帮忙成文的人留了底本，不必面世，还在就好。

薛颠则是另一种情况，他读书无碍，写文为难，由弟子润笔完成著书，没有泄密外国的顾忌。国难当头，他的观点是，公布于世后，对老祖宗的东西，中国人一定领悟得比外国人快，只要比外国人快就行了。

于是大写特写，全国发行，留下了今日可见的著作。

唐维禄老死乡野，尚云祥避官如避祸，从当年给薛颠著作写序的人看，他结交政界军界，多为翘楚，得到的社会信息不同，所以想法不同。

唐维禄没选择著书，选择当好传书的人，对师父李存义的那部私著，他全文背诵，传给我二姥爷李仲轩时，可以按页指明，哪页上都是什么话（此书二姥爷因遇难而失去，在《武魂》杂志谈起失书事后，有形意门派系声称他们还有）。

我年少时问过二姥爷，唐维禄既然能背诵、能识别段落，进一步把字一一认了，该是顺水推舟的事吧？二姥爷没解释，只说唐师傅“是没认成字”。年长后，看多了本应“顺水推舟”的事，往往都难办成。

比如薛颠著作。

听二姥爷说薛颠生平，感慨他武功盖世却命运多舛。二姥爷说，你多愁善感是你的事，跟薛颠没关系，戏台上的人物都是忽亨忽灭的命，既上了戏台，就是要忽亨忽灭。

薛颠亨通过，灭了很久。过世小五十年后，首谈他的，是我二姥爷，在《武魂》登文。开始时是谈着试试，比较谨言，放开谈，是受了《武魂》编辑常学刚先生支持，并以大魄力为此话题开了专栏。

常先生说过许多话，大意是，新一辈不知道薛颠了，看了《武魂》去问师父师爷，勾起老辈人记忆，才说说，年轻人没想到熟知的武林典故里竟然屏蔽了一位顶级高手，出于好奇心理，有了许多薛颠迷。

于是，南北间涌现了跟薛颠有关联的人，有的自称薛颠嫡传，有的说串有薛颠的东西，有的说师爷受过薛颠指点——都是好事，起码证明人间有过薛颠。

还有的说找到证据，薛颠在（20 世纪）50 年代未死，而是如“基督山伯爵”般假死遁身，按他的身体素质，至少活到 80 年代。网上发问：“80 年代上中学时，如果知道薛颠还在世，跟自己在一个时间段活着，会惊着么?”

没敢答，确实惊着了——总之，是好事。神话薛颠，说明尘封半个世纪后，薛颠跟人间重又发生了关系。

常学刚先生是“顺水推舟”的推舟人，承蒙先生十几年过来，仍续善举，将薛颠旧作编辑合集。正视薛颠，应从此合集开始。

徐皓峰

我跟薛颠这几本书的缘分（代序）

薛颠先生跟我有缘，这缘分，就是他的这几本书。

二十几年前，我由体育杂志的记者转行到武术期刊《武魂》当编辑。隔行如隔山，两眼一抹黑的我，听老编聊起过薛颠，知道了此人本事和为人都透着怪，不但名字叫了一个“颠”，行状也是“身法快捷，有如鬼魅”，这些都给人遐想的空间。

薛颠成了我渴望了解的人，可在《武魂》的最初几年，并没有收到过关于薛颠的稿件，也没有人认真提他。这种情况，跟我知道的其他名人很不一样。印象中，凡那些武学高深、声名显赫的大家，几乎人人会有众多的追随者写文追忆，深入研究，或是弟子，或是同门，皆以与之有关联为荣。而这位薛颠，怎么就是个例外呢？

听说薛颠好像有后人或者传人在天津一带，曾托津门的朋友打听，结果不了了之，没个下文——似乎武林不曾有过薛颠这个人，这让我有些无趣乃至悲哀。

大约是1996年的二月，上海马胜利先生的泰戈武术发展有限公司，寄来一本《象形拳法真诠》，说这是经过广泛搜寻，很花了一些钱从海外拳家手中购回的，希望能够连载。马的来稿给我带来兴奋——原来还有人记得薛颠！

此文经删节后，在《武魂》上分三期刊出。这是我第一次直面薛颠的文字，而这与薛颠的“第一面”，却只能用“糟糕”二字来形容。

之所以“糟糕”，糟就糟在我对这本书“删节”的无知与草率，全书仅刊出了“总纲绪言”的部分内容，后面的“象形拳法真诠上编”飞、云、摇、晃、旋五法和“下编”的龙、虎、马、牛、象、狮、熊、猿八象则根本未涉及。好好一本书，删得七零八落，不成体系，一次让人重新记起薛颠、认识薛颠的机会，在我手下居然成了如此模样（行文至此，颇感愧对当年马胜利先生为传统武术文化传衍付出的一片苦心）。

与薛颠著作的首次交集，虽然局面难堪，让人心生愧疚，但我却也由此知道，传统是有记忆的，薛颠和他的拳，并没有消散成渐飘渐淡的烟。

以后发生的事情，愈发让我感到，以前自己曾经的悲观，实在是因为少见与寡闻。先是山西太原意源书社的崔虎刚、王占伟两位先生，根据他们搜集和珍藏多年的民国版本，率先印行了薛颠的《形意拳术讲义》，在拳友中辗转流传；继而意源书社又与山西科学技术出版社的王跃平老师合作，2002 年正式出版发行了薛颠《象形拳法真诠》和《灵空禅师点穴秘诀》两本书。这件事情，可以说是那个时期，武林界关于薛颠研究的大举动。这几本书，也成了《武魂》编辑部向读者推荐的传统经典。

但薛颠离开我们的视线太久了，很多年轻人，已经读不懂薛颠。尤其是《象形拳法真诠》和《灵空禅师点穴秘诀》，在《武魂》编辑部的书架上，很冷清了一阵。读者多数不知道这个作者是谁，不了解这是什么功夫！

薛颠其人其事，需要有人解读，现在还有懂薛颠的人么？

2000年11月，一位署名徐皓峰的陌生作者，发来一篇介绍形意拳老辈传承者李仲轩的稿件。没想到就是以这篇陌生作者的自由来稿为发端，《武魂》用将近七年的时间，陆续刊登了由徐皓峰整理的李仲轩稿件28篇。李先生的这些文章，并无编者与作者事先的沟通和预约，完全是作者随心所欲写来，但在每一篇来稿中，编者常会有意外的发现。在编辑2002年第10期的那篇《“一个头”见薛颠》时，我看到“我的第一个老师是唐维禄，最后一个老师是薛颠”这句话，既喜且惊，谁能想到，正在我们苦寻解读薛颠者而不得之时，会出现一位薛颠的弟子，以年近九十的高龄，为后学讲述他所了解的薛颠。这真是想什么来什么！此刻，你不能不惊叹中华传统文化精髓的顽强生命，不能不信服冥冥之中固有的机缘。

《武魂》是李仲轩系列文章的最初刊载者，之后这些文字，被徐皓峰先生整合成册，定名为《逝去的武林》；再后来，徐先生又将据仲轩老人口述整理的《象形术探佚》，披露连载于《武魂》2009年第9期至转年的第2期，以后成了徐皓峰的另一部书《高术莫用》里的内容。两本书的出版，一时在武林轰动。

关于薛颠，李老写得绝对独家：

他是结合着古传八打歌诀教的，蛇行是肩打，鸡形是头打，燕形是足打，不是李存义传的，是他从山西学来的。

薛颠管龙形叫“大形”，武林里讲薛颠“能把自己练没了”，指的是他的猴形。

薛颠传的桩功，一个练法是，小肚子像打太极拳一般，很慢很沉着地张出，再很慢很沉着地缩回，带动全身，配合上呼吸，不是意守丹田，而是气息在丹田中来去。打拳也要这样，出拳时肚子也微微顶一下，收拳时肚子微微敛一下，好像是第三个拳头，多出了一个肚子，不局限在两只手上，三点成面，劲就容易整了。

站桩先正尾椎，尾椎很重要。脊椎就是一条大龙，它有了劲力，比武时方能有“神变”。

薛颠说四维上下，不是玄理，而是具体练法。“内中之气，独能伸缩往来，循环不已，充周其间，视之不见，听之不闻，洁内华外，洋洋流动，上下四方，无所不有，无所不生。”这已是形意的妙诀了。

在仲轩老人的笔下，原本模糊一团的薛颠，清晰了许多。仲轩老人的话，也让更多的人，打开了尘封多年的记忆：

“肩窝吐气”是薛颠讲过的练功口诀。气者，劲也。肩窝是张嘴，对着手臂吹气，劲就到了指尖。站桩、打拳都要这样。

薛颠说：形意拳只练向上的劲，从不练向下的劲，松了自然有沉劲。“蓄”，练收，含着劲打拳，所以练功架是不发劲的。“含着劲练拳，兜着劲打人”。

打劈拳是，“肩井”如瀑布一样倾泻而下，是“重力”。对应“肩井”的是“涌泉”。打钻拳时，“涌泉”似喷泉般向上涌出，身势借着这股势头钻出。

刘奇兰这一系的河北形意拳，原先以五行拳为主，并不重视十二形，但薛颠自李振邦处重新引进了十二形，在他之后，河北形意拳又开始学习十二形。

薛颠另一个重要的贡献即是创象形拳。他提出“飞云摇晃旋”五法，为形意拳另辟新径。

如此种种，精妙纷呈，薛颠的武学，重新在人们的心中复活了！

后来，再回人们视线的薛颠，让《武魂》读者服务部书架上他的书，成了读者关注的热点；再后来的2007年，山西科学技术出版社将薛颠的这三本书合集出版，我有幸成为了该书的校点者。

今年（2016年），北京科学技术出版社又将薛颠的著作，以新的注释、新的校点、新的版式、新的装帧向武术读者隆重推出，早已从《武魂》杂志退休的本人，再次有幸参与其中。回想二十年来，笔者亲眼目睹了薛颠先生这三本书由湮没无闻到名动武林的过程，不由得心生感慨，遂写了上面的文字。

常学刚

导读

薛颠（1887—1953 年），字国兴，号页真子，河北束鹿县（今河北省辛集市）人。薛颠先生是民国时期的武学大家。先生在青年时期，曾师从李存义、薛振刚、李振邦，学习形意拳。中年时，又访到灵空禅师学习象形术。李振邦是形意拳宗师李洛能的嫡孙，灵空禅师是山西五台山南山寺的得道高僧。

薛颠先生主持天津县国术馆教务时，在练功和教学之余，勤于著述，经过苦心经营，将武术绝学形之于文字，这就是他的多本皇皇武学巨著。先生的武学著作，对形意拳、象形术的拳理、拳法进行了全面、系统、详细的讲解，将各种内外功、伤科治法和秘方和盘托出，贡献于社会。其文笔力雄健，文采飞扬，自信十足；分析、论述精辟老到，直指要害，有独特的语言风格，表现出深厚的文化修养、高超的功夫水平和源远流长的武学传承，给我们留下了宝贵的文化遗产。

然而，由于时代的隔阂以及语言、文化和知识结构的差异，现在的一般读者要想真正读通、读懂薛颠先生的著作是很困难的。因此，全面、严谨的点校、注释工作就显得十分迫切和重要。

第一，原著出版发行的那个时代，还没有成熟的标点符号体系，所以当时的断句和标点有很多的混乱。尤其是各书前的序言，虽然有很高的研读价值，但是完全没有断句，严重妨碍了读者的阅读和理解。这次对全书所有文字进行了严格、细致的点断，并根据句意、文意及各句、各部分之间的逻辑关系，加上了恰当的标点符号。

第二，原著是用文言文写成的，尤其是各书前的序言，都很艰深，时不时出现古奥的用词、用典，这对于习惯了现代文阅读的读者而言，又是一个巨大的障碍。将文言文按照现代文来理解，极易曲解作者的原意，甚至闹出笑话。因此，这次对全书难解的字、词、句、篇进行了密度不一的注释，艰深的地方注释密度大一些，相对浅易的地方注释密度小一些。对于特别艰深的篇章给出了全篇释文。对于原著的用典及引用的古语，最大限度地将其出处、原意和本书用意呈献给读者。对于原文中前后互文的关系及承前省略的内容，也都尽量揭示给读者。

第三，薛颠先生在写作《形意拳术讲义》时，将全本《李洛能形意拳拳谱》作为形意拳的理论根据和练习规范，有机地插入该书各章节中，为我们保留了《李洛能形意拳拳谱》的一个珍贵版本。这次校注对于书中来源于《李洛能形意拳拳谱》的文字均予以指出，以便于读者辨别哪些是拳谱的摘录文字，哪些是薛颠先生的原创文字。

以前的所有各名家的形意拳著作，包括薛颠先生的这本《形意拳术讲义》，在使用拳谱时只是引用而不加解释。这次尝试对书中引用的拳谱部分进行了高密度的注解，有很多篇章做了逐句解释。这是一个巨大的挑战，还望各位学者、专家提出宝贵意见，以便不断改进。古人流传下来的拳谱拳经，若不加解释，永远只不过是沉睡的镇箱之物。

第四，原著有一些文字和插图上的失误。如《灵空禅师点穴秘诀》中的药方、药名存在错误。再如《形意拳术讲义》中“鹘形回身”拳照与“鹰形回身”拳照，互相放错了位置。还有某处的两个字也是互相放错了位置，这次都发现并指出来了。

对于失误的字、词、句，都尽力找到并指出来加以改正。用“应为”“当为”“疑为”“疑当为”分别表示点校者的肯定、商榷、推测和揣测等不同语气。如“雷火风：应为‘雷火丰’”“赤芎——当为‘赤芍’”“遍成毒：疑为‘逼成毒’”。

以上将《薛颠武学辑注》的标点、校订和注释工作进行了简单的介绍，唯愿校注者的努力能为现在的和将来的读者朋友扫除阅读和理解的障碍，让大家都能顺利地享受前人给我们留下的文化遗产，也让前人的著作抖去历史的灰尘，像颗颗明珠，永放光芒！

王银辉

珍藏秘本

五臺山靈空禪師

點穴秘訣

（附治傷秘方）

靈空禪師 五臺道僧
兩度花甲 其顏猶童
訪道求真 徧歷各省
五禽傳法 象形會悟也宗
以術益壽 普度衆生
壺無上人靈空禪師之像

吾國文化最古此世界列強所公認蛟龍猛虎之威又爲人類所能道者也薛君顯所傳藝術分爲先天後天剛柔相濟聚精會神柔能克剛象龍象虎撼山震海遨遊徧全國粹礪數十年誠武術道中之鳳毛麟角東亞病夫之渡世慈航也吾人鍛鍊心身之法自達摩祖師創易筋洗髓之術遺示後人張三丰創武當拳修內功爲道術之祖志士好強令人景仰余今夏送小兒鴻鈞投考河北省立第一師範得以天緣邂逅薛君于客次曾披覽其著作之象形拳法眞銓及形意拳術講義並一字慧劍之妙訣包羅萬象久已風行海內紙貴洛陽近又集華佗五禽術及其乃師靈空禪師所傳之點穴法冶于一爐著書啓祕　處此二十世紀危亂邦家之下強者存而弱者亡且有強權而無公理吾民族有臥薪嘗膽樂志斯

道者獲益豈可勝言哉是爲序
中華民國二十二年歲次癸酉孟秋下浣識于天津縣教育會
曹樹藩

自序

法曰　靈空禪師五臺道僧　花甲兩度其顏猶童　取義南華推廣禽經
參贊先旨演象道成　像取會意八脈通靈　口授指南點穴滙宗
內附秘方神效無窮　詳細圖解參觀自明

顛自幼失學無文天性好道喜習武事慕朱家郭解之遺風徧歷數省尋師訪道遇良師良友多蒙指示無任感荷其中最道高者莫如五臺山南山寺吾靈空禪師演象得道壽高花甲兩度以練神練炁普度衆生爲宗旨取義南華經會意五禽術莊子云所謂玄中玄華佗所謂養五靈即余著之象形術是也易云先天後天釋云即色即空蒙師心法口授所學者象形妙理所練者靈神靈根並蒙賜點穴秘訣一冊內附詳細圖說秘方數十種此術先哲秘而不宣顛不敢自私發先哲之秘藏願公諸社會以享同志希吾民族有志斯道者當手此一冊以爲參考

防身之寶筏云爾

民國二十二年東鹿縣頁眞子著於積德草堂

凡例

一 是編點穴一書爲五臺山靈空禪師心法相授昔者先哲秘而不宣今一朝啟其秘藏余公之於世以爲有志斯道者作參考之必備

一 是編本書註明人身一百零八穴三十六死穴七十二痳竅詳細圖解穴之分寸及受傷用葯之法則使學者無望洋不及之嘆讀之一目瞭然

一 是編書內詳載秘方數百種眞有一方千金不換之價値學者購得此書詳細參觀方有實益愼之寶之

一 是編本書宗旨宣佈先哲之秘法而使青年生存於世有自衛之能力

一 是編學者將此術詳細研究心體力行得之於心而作防身利器救自己急難爲要務

一 是編此術爲行俠好義救人防身之寶筏學者萬不可因一時之私憤好

勇鬬恨而亂用亂則反損陰騭因果報應即是理也

靈空禪師點穴秘訣

正面總穴圖

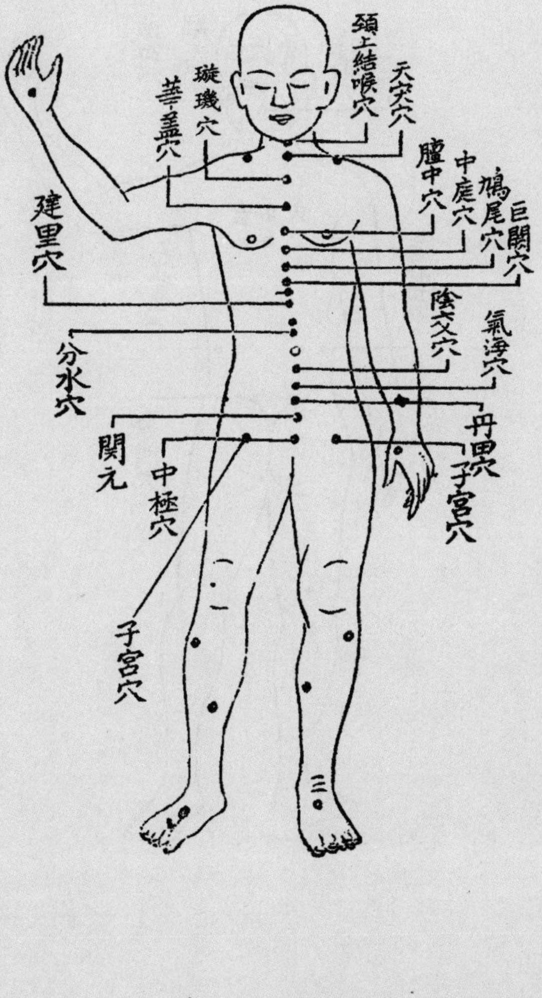
頸上結喉穴
天突穴
璇璣穴
華蓋穴
膻中穴
中庭穴
鳩尾穴
巨闕穴
建里穴
陰交穴
氣海穴
分水穴
丹田穴
關元
中極穴
子宮穴
子宮穴

背身總穴圖

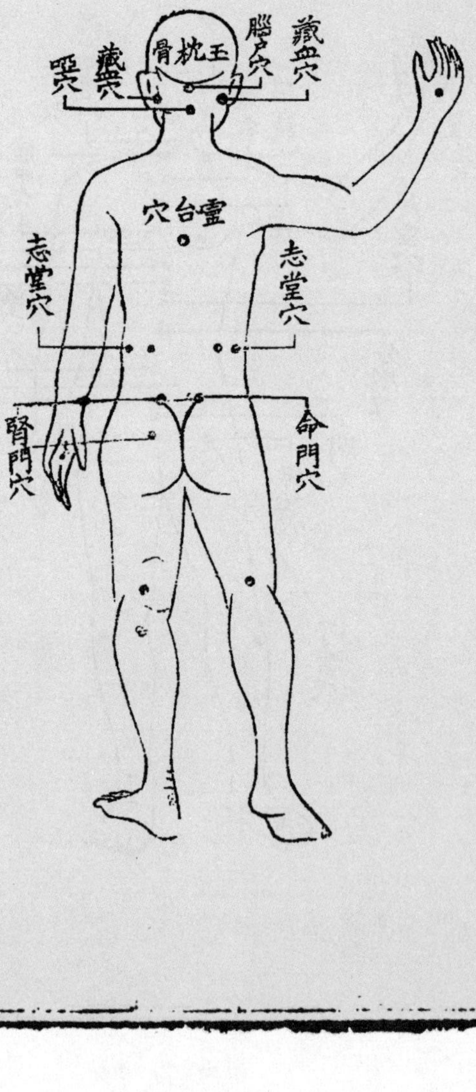
玉枕骨
腦戶穴
藏血穴
藏氣穴
靈台穴
志堂穴
志堂穴
腎門穴
命門穴

巨闕穴　在鳩尾下一寸　心之幕也　又謂之返魂穴　點重者　昏迷人事不省「用打法」在右邊肺底穴　半分　使掌一推　即醒「法用」十三味方　加桔梗一錢　川貝、一錢　同煎二付服　再服奪命丹　三五付　紫金丹　二三付　不愈者　一百二十日死

第一圖

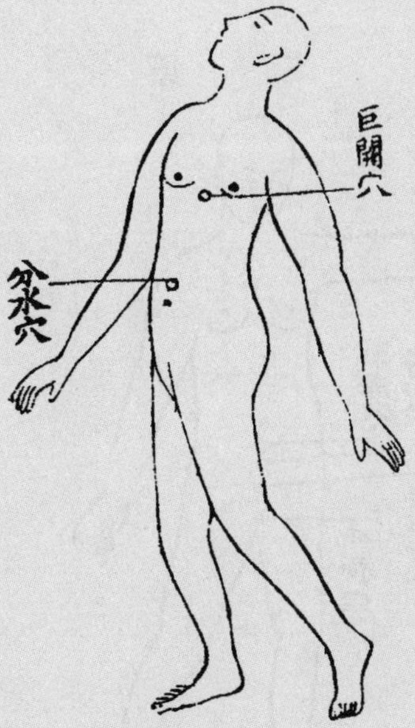

氣海穴　在臍下一寸五分（男子生精之源）二寸丹田（男子藏精之室）

此二穴　以拳足擊傷者　三二日亡

「調治」法用十三味方　加木通一錢　三稜（錢半）同煎　冲七厘散（一分五厘）　再服　加減十四味方　二付

服葯不愈　四十八日死

第二圖

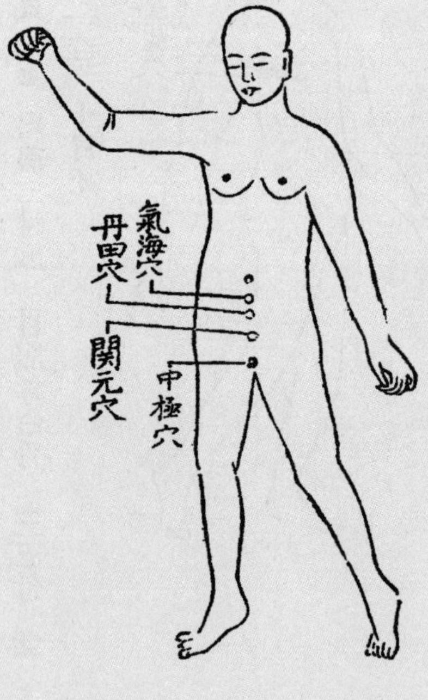

志堂穴　在項上大椎　下數第十四節　兩旁各開三寸　屬腎經　以五法八象之化身　點傷者　三日發笑而亡「調治」法用十三味方　加桃仁　兎絲子各一錢　同煎服　再用奪命丹　三五付　再以葯酒服之愈　如不除根症發而死

第三圖

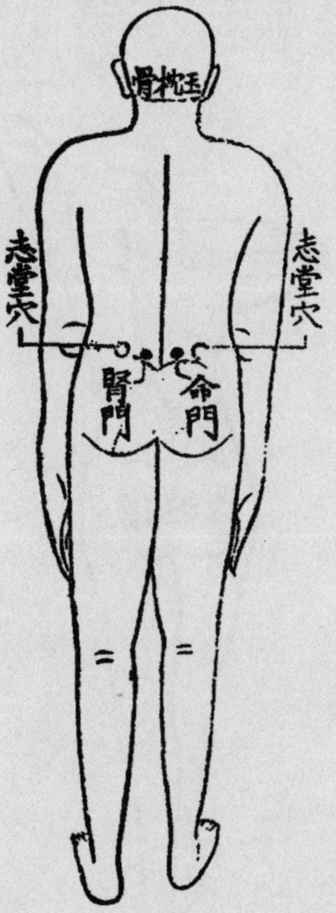

第四圖

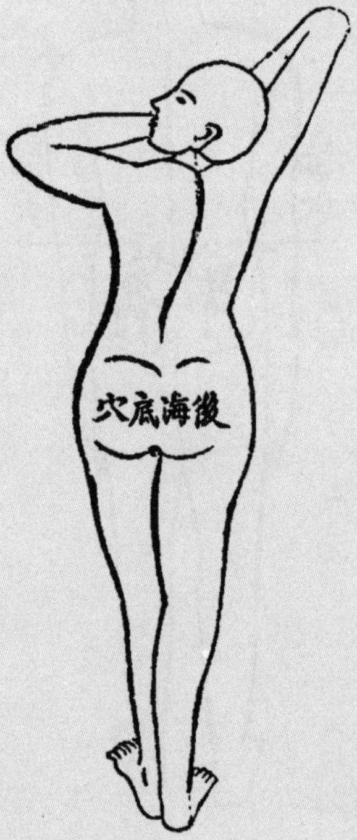

臀股尾梢 名督脈穴 骨稍下二分 爲海底穴 以足點重者 全身失聯絡 七日主亡 「調治」法用 十三味 加引經葯 大黄 月石 木瓜各二錢 煎冲奪命丹三付 如尾梢骨傷 不治而愈 一年發黃胖而死

關元穴　在臍下三寸　爲小腸之幕　用足點重者　五日必死「調治」法用十三味方　加青皮　車前子各二錢　同煎冲七厘散三分　服　再服奪命丹三付　若服葯不除根　二十四日死

中極穴　在臍下四寸　爲足三陰之會　以拳足擊重者　大小便　不通　五日死「調治」法用十三味方　加生大黃　蓬朮　三稜各一錢　同煎　冲七厘散一錢五厘　再服紫金丹　二付　若不除根　百日必死

第五圖

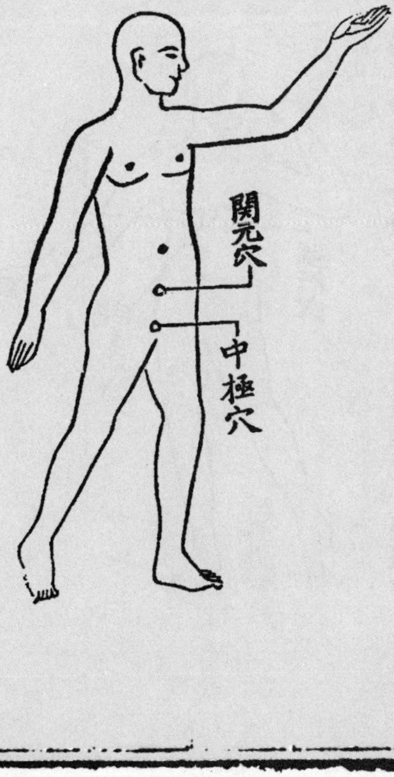

第六圖

幽門穴　左屬肝右屬肺　在心下巨闕穴兩旁　各開五分　以五法八象　化身　擊傷者　一日死「調治」法用十三味方加白豆叩　木香各一錢　同煎冲七厘散三錢　服　再服奪命丹　三付　再服加減十四味方二付　冲紫金丹　三付外上吊藥　如服葯不除根　其傷必發　一百二十日死

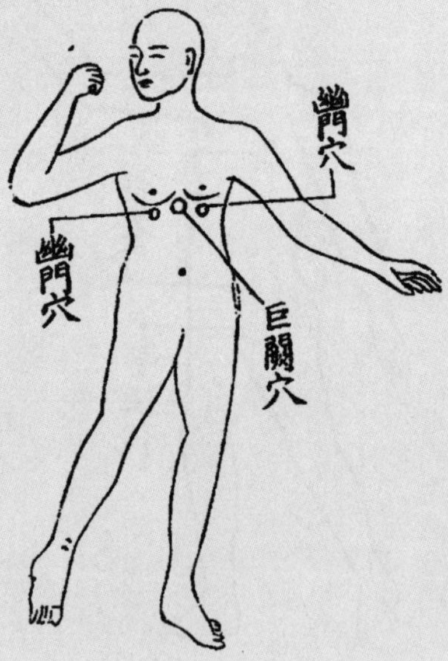

復結穴 在左脇梢骨下一分 此處氣血相交 又名氣血囊 右脇亦同 如左受五法八象化身點傷者 四十日亡 「調治」法用十三味方 加蒲黃二錢 生韮菜子錢五分 同煎服

右腹結穴 拳指點傷者 四十日亡 「調治」法用十三味方 加丹皮 紅花各一錢 同煎服 冲奪命丹二三付 如不食葯 不除根 一年必亡 左右皆同

第七圖

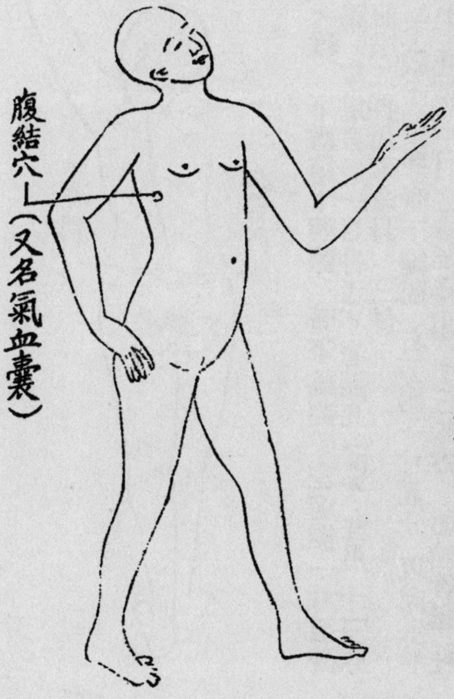

第八圖

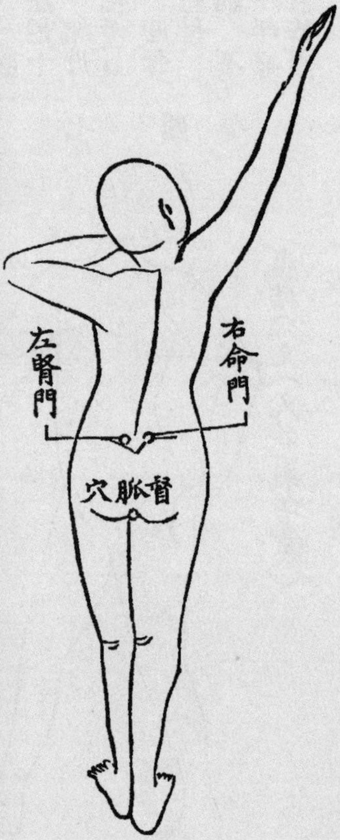

命門穴　在項上大椎　下數第十四節　骨下縫間　左旁開一寸五分　以龍爪拳法或足踢　擊重者　一日昏迷不省而死「調治」法用　十三味方加桃仁一錢同煎服　再用奪命丹　三付

腎門穴　在項上大椎　下數十四節　骨下縫間　右旁開一寸五分　以虎爪拳法或足踢擊傷者　吐血　吐痰　三日亡「調治」法用　十三味方　加補骨脂　杜仲各一錢五分同煎　冲服奪命丹　三付　次服藥酒全愈　如不除根　後發症而死

頭額前　正中　屬心經　主血　用雲龍探爪手　點傷　見血怕風發腫

三五日死　不腫　不見風　不死　如受傷調治法用　川羌活　防風各一錢

加十三味方　同煎服　再用奪命丹　三四付　即愈

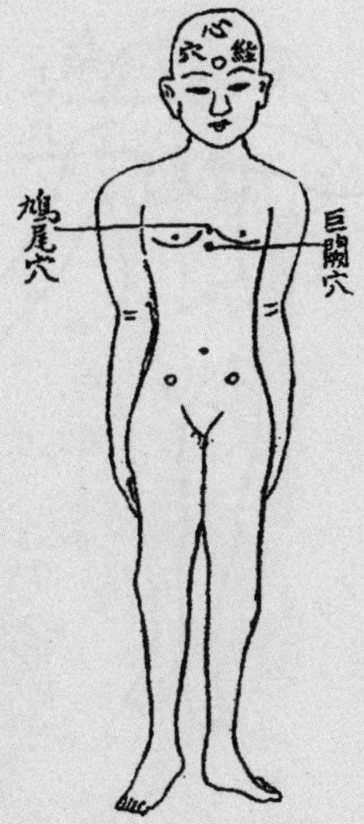

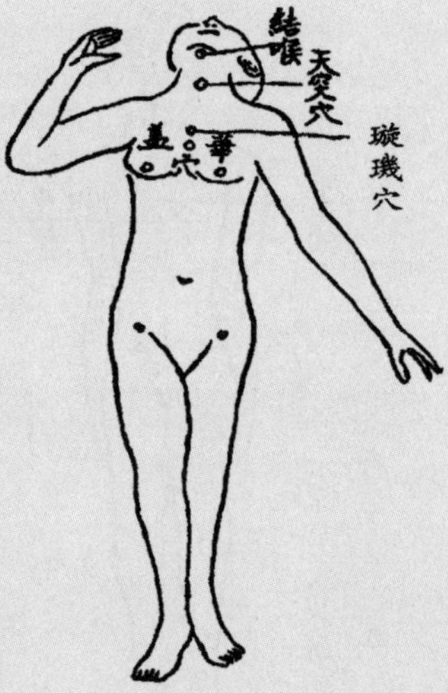

結喉下一寸天突穴　天突下一寸六分璇璣　璇璣下一寸六分

華蓋穴（即心口上）此穴爲五臟之華蓋「故名之」以神龍探爪　或猛

虎奔坡　手法點傷者　不省人事　失去知覺性　血瘀心經　不治必死

「調治」法用　只壳三錢　良姜一錢　加十三味煎服　冲七厘散二分五厘　行

心胃中瘀血　泄瀉愈　或泄瀉不止　用冷粥止　再服奪命丹　兩付愈

如不除根　三五日死

乳根穴　在左乳下　一寸六分　又謂之翻肚穴　名下血海　屬肝經　以
雲龍虎顯　獅子滾球手法
點重者　吐血死「調治」法
用十三味方　加鬱金劉寄
奴（各一錢半）冲七厘散（二分）再服
奪命丹　二服　服葯不愈
三十日死　乳根
穴在右乳下　一
寸六分　又謂之
下血海　屬肺經
以五法　八象手勢「擊
傷者兩鼻出血　九日亡」
調治」十三味方　加百部草
桑白皮（各一錢）同煎　冲七厘
散（一分五厘）再服紫金丹　三服
若不除根　一年必死

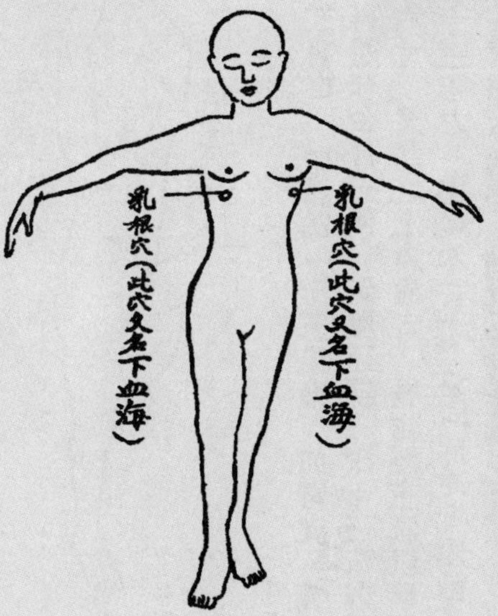

期門穴　直乳二脇端　一寸五分

屬厥陰肝經

膺窻穴　在左乳上　一寸六分

又謂之上血海

屬肝經　主血

以龍　虎　猿

象　手法　神意點重者　十二日亡　「調治」十三味方　加青皮　乳香各一錢　煎服　冲七厘散三分　再服奪命丹三付　每服三錢　冲十三味方葯內　膺窻穴　在右乳上一寸六寸　又謂之上血海穴　屬肺經主氣以拳指點重者　十二日死「調治」十三味方　加廣木香一錢五分同煎冲七厘散二分可行瘀血　再服奪命丹三付愈　如不治好　則終身有肺癆之症

章門穴　屬足厥陰肝經　在大横肋外　季脇之端　骨盡處　軟肉邊　臍上二寸　兩旁六寸　又名血囊　以八象手法　點重者　四十日死　「調治」法用十三味方　加歸尾　蘇木各一錢　同煎　冲七厘散二分五厘　再服紫金丹　三五付　愈　如服葯不除根　一百日亡

天池穴　手厥陰經　屬心包絡　腋下三寸　乳後一寸　着脇直腋撅脇間

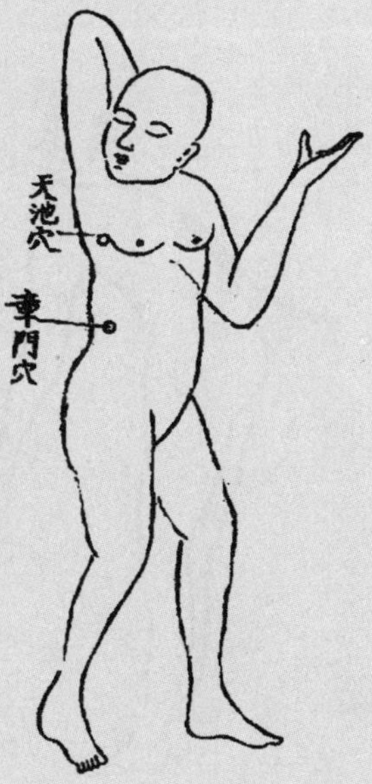

腦戶下　一寸
啞穴　以雲
龍探爪點傷者
成啞巴　無
治

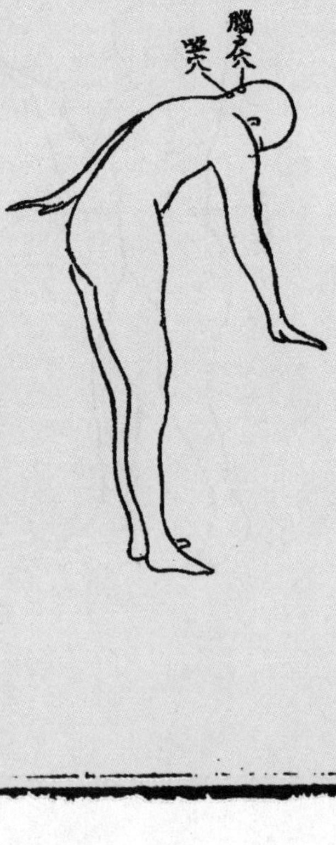

腦後玉枕骨　又名腦戶穴　爲督脈　陽氣　上升入泥丸之門戶　通十二
經絡　用雲龍探爪　擊傷重者　五七日死　「調治」法用十三味方　加
當歸　川芎各一錢　冲七厘散三分　再服奪命丹　三五付愈

兩眉梢邊　屬太陰太陽　爲命門穴　以拳指點傷者　七日死　輕者十五日亡」如損傷耳目　瘀血化膿　不死　如傷風發腫者　亦主死「調治」法用十三味方　加川芎　羌活各一錢五分　同煎　冲七厘散二分服　再服奪命丹二付　再以八寶丹粉藥　敷之立効　如不治愈　十人死九人　愼之愼之

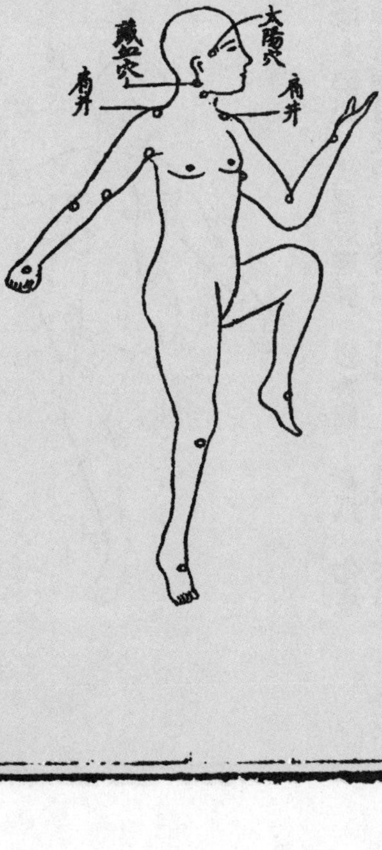

藏血穴　在兩耳後　屬太陰太陽經　又屬肝胆脈　以神龍　探爪　化象所傷者　見風則發腫　輕者兩目失明　重者四十日亡　「調治」法用十三味方　加生地　當歸　川芎 各一錢 同煎　冲七厘散 三分 再服奪命丹三付愈

靈台穴 謂之人心 在項上 大椎 下數第六骨節之內 如受拳足擊傷重者 立時而死 無治

大概言之 且人身上之穴竅 凡與心腦接近者 受戟刺皆危險 不容時間 難治 練此術者 不可不慎之

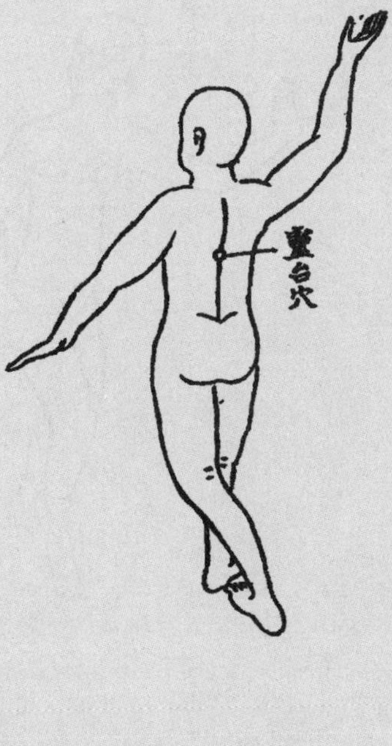

兩眉中間　謂之眉心穴　通腦髓　以拳指點重者　頭大如斗　三日死
「調治」法用　十三味葯方　加川羌活　川芎　荆芥穗　防風各一錢半　不腫不死　受傷必須服藥爲佳

氣海俞穴　分左右二穴　在背後　腎俞穴下兩旁　以拳足擊重者　一月而死　「調治」法用十三味方　加補骨脂一錢半　烏葯二錢　同煎服　再服紫金丹三付

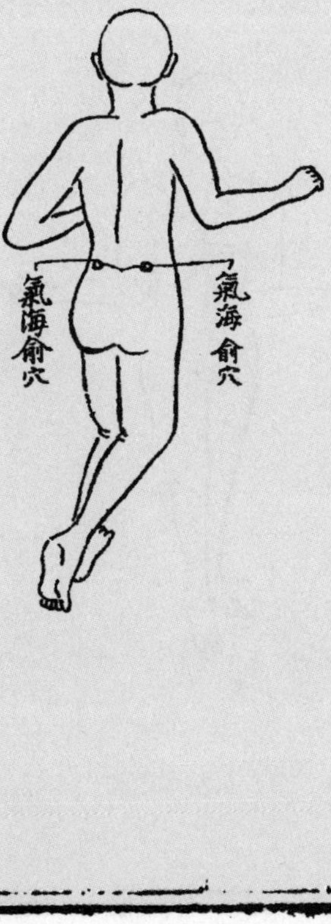

兩蔽骨中間　鳩尾穴
又各黑虎偷心穴
以手上擦下按　點重
者　兩目昏花　人事
不省　「調治」法用
十三味方　加肉桂
一錢　丁香 五分　同煎
冲七厘散 三分　再服奪
命丹　三付　再用紫
金丹　三五付　若不
用藥治之　一百二十日亡　◉又方　金竹葉 二錢　柴胡 一錢半　鈎籐 一錢
當歸　陳皮　查肉　苡仁　麥冬 各五分　沉香　炙草　荊芥　防風 各三分
青柿蒂 三個　一水酒各半　同煎　加胆草 五分　調服

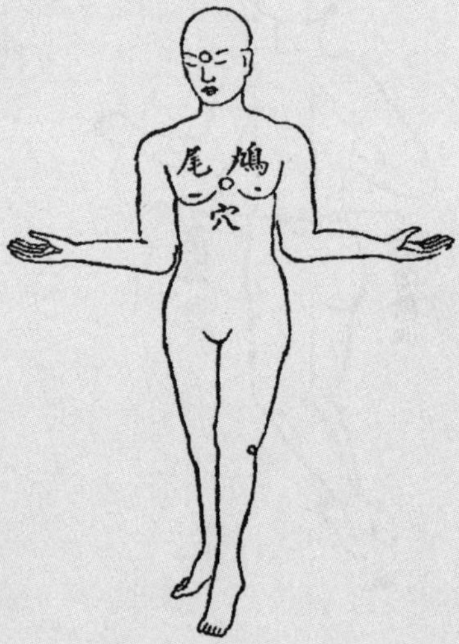

血門商曲穴　在右脇臍處　此處氣血相交　又謂之氣血囊穴　以象形拳法　手術擊傷重者　六個月死　「調治」用十三味方　加羌活　五加皮各一錢半　同煎　冲七厘散一分五厘服　再服奪命丹　三付愈　如服葯不除根　一年死

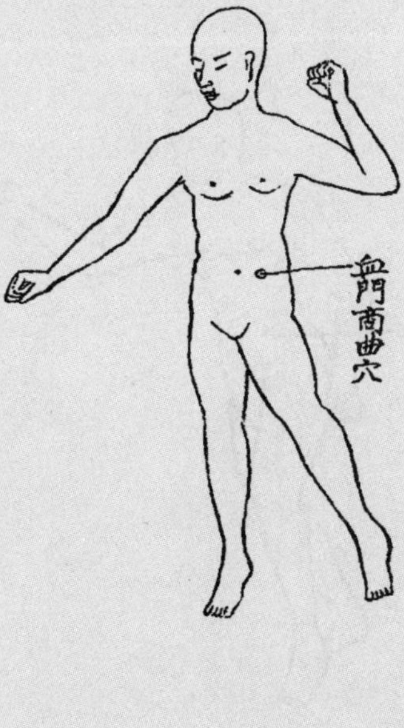

氣門商曲穴　又謂之橫
血海門穴　在右肋臍下
二寸旁開並橫　以拳
足擊傷　重者五個月死
「調治」法用十三味
方　加柴胡　當歸 各一
錢 同煎　冲七厘散 二分
五厘 再服奪命丹　二三
付　傷重後　大小便不
通　加車前子　木通 各二錢 仍不通　用大葱頭　搗泥　酒炒貼臍上　即
通　如服葯不除根一百二十日死

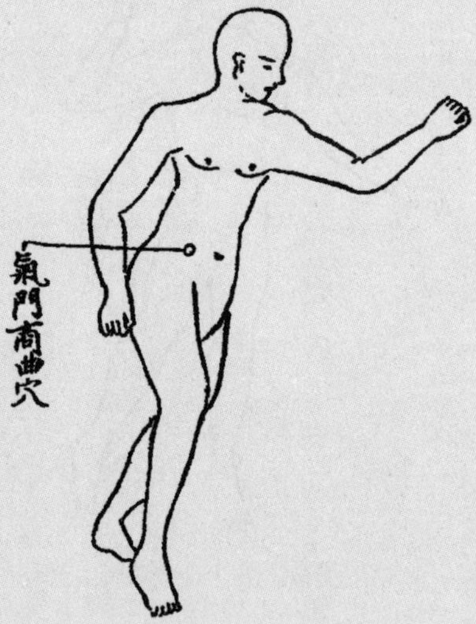

氣血囊穴　在脇梢骨
下一分

分水穴在
臍上一寸　屬膀胱經　此處是大小腸　二氣相滙之穴　若以拳指點傷
或足擊　重者　大小二便不通　十四日亡　「調治」法用十三味方　加
蓬朮　三稜　生軍　各一錢五分　同煎冲服七厘散　二分五厘　再服紫金丹　二
付　如不治全愈　一百八十日亡　不治

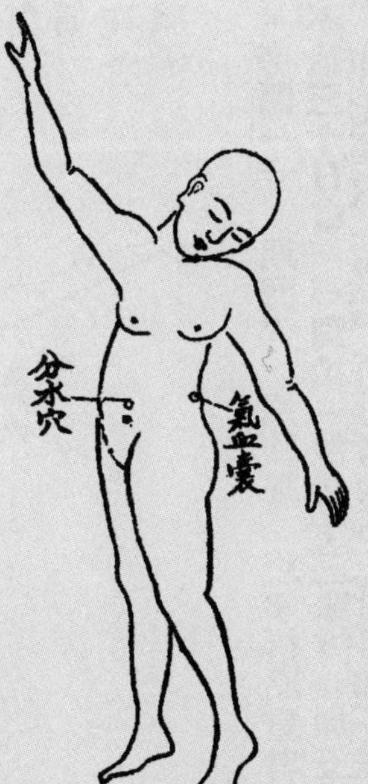

期門穴

在左乳下　一寸六分　旁開一寸　屬足厥陰肝經　以飛　雲　搖　撓旋　五法手勢　點傷者十八日亡『調治』法用十三味方　加木香廣皮 各一錢半 同煎冲七厘散 二分五厘 再服奪命丹三付

右乳下　一寸六分　旁開一寸　期門穴　屬肺經　以拳指點重者　則成肺病　咳嗽之症　不治三十日亡　「調治」法用十三味方　加五靈指 一錢五分 蒲黃 一錢 同煎　冲七厘散 二分五厘 再服奪命丹三付　如不去根　五十日必死

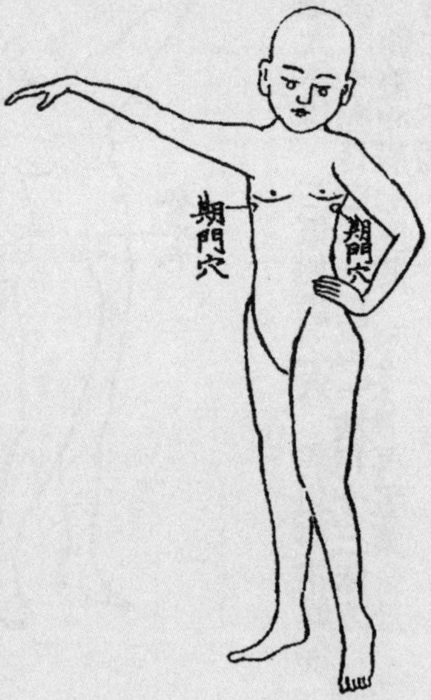

肛門前　腎囊後　謂之會陰穴　又名下海底穴　此處穴　用足膝擊之

如點傷　重者當日死　宜急救　「調治」法用十三味方　加大黃　朴硝各一錢同煎服　再服奪命丹　二付　紫金丹　三付愈

百會穴　在人頭頂之中　又謂之崑崙頂　此穴爲人一身百脈會聚之處

如若受傷　輕者頭昏

頭腫　重者　立時死

「調治」法用　川芎

當歸各二錢　赤芍

升麻　防風各八分

紅花　乳香去油各四分

陳皮五分　甘草二分

共二劑　酒水各一碗　煎半碗　溫服

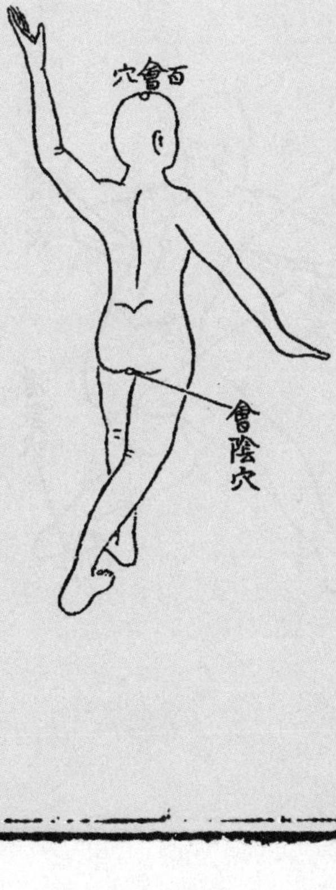

「鶴口穴」 在尾閭骨上兩髁骨進處 若以足膝擊傷 重者一年死 輕者全失聯絡 「調治」法用十三味方 加牛膝 薏苡仁各一錢同煎服 再服紫金丹三四付 即愈

「湧泉穴」 在足心中間如受傷 重者 七個月死 「調治」法用十三味方加木瓜 川牛膝各一錢同煎服

「攢心穴」在兩脇窩下 與心脈相通 傷則血迷心竅 重者立時而亡不容下手醫治 輕者先服金磚五分 後服煎葯 方見後 以上之穴竅謂之死穴 皆可致命 麻木穴不在此列

諸穴損傷醫治法

「前身部位穴」腦門骨髓打出　不治　兩眼相對中間　山根　及鼻柱打斷不治　兩邊太陰　太陽穴　打重傷者不治　結喉骨打斷　不治　氣管打傷不治　天突下數　胸前橫骨　一直至人字骨　一寸三分爲一節人字骨上　第一節受傷　一年死　二節二年死　三節傷三年死　心坎即人字骨　打傷立時暈悶　久則必成血症　巨闕　又名食賭　在心坎下一寸　打傷成反胃之症　氣海穴　在臍下一寸五分　爲男子生氣之源　丹田在臍下二寸　爲男子藏精之室　此二穴爲一身之主宰　以拳足擊傷重者喪命　輕者小便不通　如不醫治　一月而亡　小肚旁橫骨左右　子宮穴　若受傷　心迷口噤　目反上視　身強五絕之症　七日內先服奪命丹數劑　若傷內有瘀血　再服紫金丹　吐出瘀血　次煎劑　服行血葯

凡五絕之症　可治者有五　（1）嘴唇不黑　略有微氣可治　（2）指爪不黑　中心溫煖　（3）面無舒紋　鼻無微氣　（4）目不絕輪　筋骨輭寬　（5）海底不傷　腎子不碎　可治　此謂之五也

「前身側面部位」左乳上脉動處　爲氣門　又曰上血海　屬肝　主血氣　以拳掌擊傷　當時閉氣　重者吐血　急救無妨　遲則不治　右乳上動處　爲痰血海　又曰上血海　屬肺　主氣　以手擊傷　重者氣閉而亡　輕者發嗽　如治不愈　久成肺癆之症　左右乳下輭肋處　屬氣血　左傷失血　右傷發嗽　右乳上下傷　先服奪命丹　助以䗪蟲散　左右傷加柴胡兩錢　胸前背後加桔梗　青皮兩錢　血海傷　久則成痞　用朴硝熨法　不必用末葯　宜服核桃酒數劑　外用千槌膏　貼三血痞　自然消散
先服奪命丹　後貼千槌膏　再服䗪蟲散　一二分爲度　治上部等症　以散

血葯爲主　用奪命丹　一日一服　吃不得　紅花　當歸　等丸葯　凡少年人　以靜養爲主　葯次之　壯年力強　葯宜加重分量　老弱之人　葯宜減少　凡服葯　切忌　猪　羊　鷄　鴨　鵝　蛋　魚　糟　油煎　麥食　等物　戒房事　惱怒宜要靜養　食葯二種　並行爲佳　傷重者　忌一百二十日　凡去宿血　蝱蟲散　吐血　紫金丹　危急奪命丹　發表東瓜散　重傷　調理加減十三味方　牙關緊閉　先用吹鼻散　用鵝管吹入　男左　女右　無嚏再吹兩鼻　再無嚏　用燈心草　道之口中　有痰吐出爲妙　如無嚏是凶症　不可用葯　氣門受傷　氣閉塞不通　口噤身直　如死　此症過不得三個時間　宜急救　遲則氣從下降　大便洩出則無治矣　亦不可慌張耳　須近病人口鼻　探其氣有無　如有氣者　必是拳足　明暗勁　擊傷　不是神意擊傷　須用一人揪其髮　伏在背上

再用輕敲　挪運之法　使氣從中而出復甦　左右受傷　暈悶皆不可服表汗之葯　左傷服紫金丹　右服奪命丹　至三日不凉者　可服表汗葯　去其風邪　凡治新傷　血未歸經者　只可服七厘散　如七日以後　再服行泄之葯

「背身部位穴」頭上　腦後　骨打碎　與腦前症同　此乃絕症　不治　天柱骨　即脊柱骨　打斷　宜用手術能治　兩腎穴　左爲腎門　右爲命門　在背脊左右　與臍平對之處　如受傷　發笑　或哭　不治　長強穴　即督脈　陽氣上昇之路　受傷　重者當日屎出　後成脾泄之症　海底穴　又謂之會陰穴　在穀道前　外腎後　兩可中間　以足膝擊傷　重者喪命　輕者血氣上冲　頭昏耳鳴　心內悶絕　先服獲心丸　止痛　傷雖在下　其痛在上　可服活血湯方　如便閉　急用灸臍法　治外腎傷　與

上同治　外腎受重傷　恐其血氣上昇沖心　急用一人靠其背後　再將兩手　從受傷者　小肚　兩傍　慢慢向下推摩　先用喜子草　鹽酸草　煎湯　待冷洗之　尾閭傷　先服車前子七錢米湯送服　或先用熨運法　表汗葯　腰脊傷　用麩皮熨運腰痛之處　骨折傷　此指全身骨斷而言　先貼鼠蓁膏　壯骨之葯　上用運法　斷骨如不能接　故意用刦葯　如南星半夏　草烏等毒葯　不得過三時辰　葯毒自解不必用解葯　治傷四種法　運　爔　灸　倒　最輕　用冬瓜皮散　次用運法　內有宿血　若在皮肉膜外　面皮浮腫　宜先服冬瓜皮散　調治以葯爲先　然後　用爔法　如有宿血傷可爔　凡新傷血未歸經　不可爔洗　恐其血攻心竅　如久症　重傷可用灸治法　能消久瘀宿血　凡骨節酸疼行走不能者　定有瘀血　風濕　如不治　後恐發毒　先服冬瓜皮散　次用灸法　再重傷　人

噤口不語　飲葯不下　先灌硫射散　然後用倒法　吐其惡物　次服蟲蟲散　一二劑　法用倒訣　將人用綿被摠住　以壯年人扯其四角　着病人左右滾翻十數次　使其吐出惡物方可治　如不吐出不能活矣　亦有仙一味丹名十八返魂丸　服諸般毒葯　灌下五分即解　重者一錢　即吐毒物　神效

調治諸穴傷要論

（1）「百會穴」打傷腦髓不破　只有疼痛　頭暈　不能行路者　照方醫治　神效　方列下

川芎　當歸各二錢　赤芍　升麻　防風各八分　紅花　乳香去油各四分

陳皮五分　甘草二分

共二劑　酒水各一碗　煎半碗　溫服

(2)「太陰太陽二穴」受傷　雖不入內　終有後患　瘀血行於兩旁難以救治　七日內須進活血丹　爲妙

當歸 一錢五分 紅花　黃芪　白芷　升麻　橘紅 各五分 荊芥　肉桂川芎 各八分 甘草 二分 葯引童便陳酒煎服

(3)「洪堂二穴」　又謂藏血穴　受傷　可用活血舒筋湯　爲主大黃 八分 毛竹節灰　松桴炭 各五分 金磚 一錢 加陳酒送服　此名爲五虎散　後食煎葯　靈仙　桂枝　川芎　川斷　桃仁 各一錢 陳皮 八分 甘草 三分 當歸 一錢五分 水煎酒冲溫服

(4)「氣食二管」若受傷　不出鼻血　不用調治　七日自愈　若傷重可服金磚 五分 川芎 二錢 煎湯送下即愈　外傷貼膏葯

(5)「肩窩觔池脉二穴」若受重傷　難治　恐筋縮不能復直　可用活

血膏一張　貼之　內服湯葯　方下列　蘇木心　木耳炭　毛竹節炭　歸身各錢五分　升麻　川芎各一錢　水煎酒引服

(6)命脉穴　謂之上血海受傷　本通心竅　而能走痛　七日內可治宜服奪命丹　再服湯葯　歸尾　紫草　蘇木　紅花各一錢五分　肉桂陳皮　只殼各一錢　石斛　甘草各五分　童便製陳酒　煎服三劑

(7)「脉宗穴」謂上血海若受傷　轉手難以調治　是二七之症　三日內可用散血安魂湯　爲妙　歸尾　桃仁　川斷　寄奴　紅花各一錢只殼一錢二分　甘草二分　骨碎補　藕節一錢五分　山羊血三分　酒水各半煎好山羊血　冲服

(8)「痰凸穴」謂鳩尾受傷　其氣必急　可用寬解　活血　利氣　湯爲主　當歸　川芎　紅花　大腹皮　骨碎補各一錢　荊芥　杏仁

紫草　蘇葉各八分　本耳炭一錢五分　燈心一丸　酒水各半　煎好　木耳炭　冲服

（9）「玄機一穴」謂下血海受傷　恐血衝心　速飲五虎散　後服煎葯胡猻竹根　扁根錦醬樹根　連根獅子草　槿添樹根去心　天麵麥根去皮各五分　陳酒煎服　若翻吐　加姜汁一匙　冲溫服　忌油煎　生冷　食　七天　以外不防

（10）「肺苗一穴」謂華蓋若受傷　胸部刺痛　三日身上微熱　不時發嗽　過三七日不治　「方」歸尾一錢三分　紅花　陳皮　杏仁各八分　白芥子一錢　沒葯四分去油　獨活　石斛　蘇葉　甘草各五分　加燈心一丸　陳酒煎服

（11）腕心謂胃口穴若受傷　須要瀉出　不可內消　「方」歸尾　陳皮

川斷　白芥子各一錢　大黃三錢　只殼八分　紅花　羌活各五分
黑丑一錢五分　大甘草四分　小薊一錢五分　加燈心一丸　酒水煎服

（12）「巨闕一穴」謂之鎖心通心竅　若傷重　七日可服山羊血　五虎散　後服湯藥　「方」桃仁七粒　紅花八分　白芥子一錢　陳皮　只殼　羌活　歸尾各一錢二分　肉桂一錢五分　蘇木一錢五分　赤芍五分　甘草二分
酒水各半煎服

（13）「食結穴」謂建里若受傷　則血裹食而不能消　腹漸漸能大　週年之症　「方」大黃　穀芽各一錢五分　莪朮　陳皮　川芎各一錢　桃仁　查肉　石斛各一錢　當歸五分　芥子八分　甘草二分半　虎骨醋製一錢
童便爲引　陳酒煎服

（14）「血池穴」謂之心包絡受傷　重者　當日死　輕者十八日亡　急

宜調治「方」牛膝一錢五分 歸尾一錢五分 肉桂一錢三分 川芎一錢三分
銀花一錢 陳皮一錢 石斛一錢 虎骨一錢五分 川斷一錢五分 碎補一錢五分
酒水各半　煎十劑　每日早晚一付

(15)「脚面脉穴」若受傷　不破與湧泉穴同方　如不破皮　方列後
強觔草四分 楊梅樹皮五分 松絲毛六錢 活血丹二錢 活血丹俗名紅雞子草即茜草
共陳酒糟　搗爛　敷之。若破傷觔　大黃　山芋各一錢五分 研末
敷傷處　次用白玉膏　貼之神效「白占」黃占各一兩 兒茶　乳香去油
沒葯去油 各三錢 銀硃三錢 生猪油二兩 熬去渣　加葱白　共煎爲灰色
形　油滴水成珠　入白占化過　收入碗內　投入葯和勻　存性
三日可用

(16)「海底穴」爲一身陰陽交會處　以足膝擊傷　大小便不通　飽肚

發脹　難醫之症　「方」地鱉五十個　參三錢　酒煎服渣搗爛敷傷處
大忌房事　如不忌難治　「方」威靈仙　歸尾　杜仲各一錢三分
川芎　桑皮　川牛膝　大腹皮　劉寄奴各一錢　紅花五分　甘草三分
童便炙　水酒煎　冲服五劑

（17）「鎖腰二穴」謂腎腰若受傷　重者　一時發笑　難醫治　不過一
日即亡　輕者　三日可治　「方」杜仲　虎骨　狗脊　毛竹節灰
各一錢五分　川芎　歸尾　赤芍　桑皮　古錢各一錢　川斷一錢三分
乳香一錢五分去油　核桃仁一兩　酒水各半　童便炙法　煎好　核桃仁
冲服兩劑

（18）「肝經穴」若受傷　眼珠發紅色　而失血　六七之期　醫法　「
方」藕節一錢五分　肉桂　烏葯　川續斷　白芥子　乳香去油

當歸各一錢　劉寄奴八分　木耳炭五分　甘草二分　水煎　食三劑

（19）「肺經一穴」若受傷　發喘嗽　難醫之症　如治不愈　久成肺癆之症　方見後

（20）「鶴口穴」若受傷　重者　一年死　「調治」十三味方　加牛膝　薏苡仁各一錢　同煎服　再服紫金丹　三四付

秘傳傷科奇方目錄

湯药類 丹药類 丸药類 敷药類 膏药類 總目

鄭天文祖保命丹一　保命丹二
接骨丹一　接骨丹二
治跌打傷風散葯方

丸葯類

接骨丸葯一　接骨丸葯二
治傷奪命丸　扶身丸
六味地黃丸　三花丸
三木香丸　三香丸

敷葯類

跌打搽葯方　封葯方
又方一　又方二

湯药類　丹药類　丸药類　敷药類　膏药類　總目

湯葯類

「總煎十三味方」　通治跌打損傷

川芎二錢　歸尾三錢　玄胡二錢　木香二錢　青皮二錢　烏葯二錢　桃仁二錢

遠志二錢　三稜一錢五分　蓬朮二錢　碎補二錢　赤芍二錢　蘇木二錢

如大便不通加　生軍二錢　小便不通加車前子三錢　胃口不開加厚朴二錢

砂仁二錢　水二碗煎半碗陳酒冲服

「加減十三味方」

紅志赤油一錢五分　寄奴三錢　肉桂一錢五分　廣皮二錢　香附二錢　杜仲二錢　當歸三錢

玄胡二錢　砂仁二錢　五加皮三錢　五靈脂二錢　生蒲黃二錢　枳殼一錢五分

水煎酒冲服

丹葯類

「飛龍奪命丹」　凡用胎骨以猴骨化之

川芎 三錢酒炒　五靈脂 三錢醋炒　前胡 三錢炒　青皮 三錢醋炒　五加皮 一兩童便製　月石 一兩

川貝 四錢　枳殼 小麥皮炒三錢　韭子 三錢炒　蒲黃 三錢生熟各半　元胡 四錢醋炒　自然銅 八錢醋煅

三稜 四錢醋炒　飛硃砂 三錢　桑寄生 三錢炒　沉香 三錢　血竭 八錢　秦艽 三錢酒炒

桃仁 五錢去皮　蓬朮 五錢　羌活 三錢炒　地鱉 八錢酒洗　木香 六錢生晒　廣皮 四錢炒　烏葯 三錢炒

當歸 六錢酒炙　破故紙 四錢鹽水製　製胎骨 五錢　炒葛根 三錢　射香 一錢五分　杜仲 四錢鹽炒

橘紅 三錢　肉桂 三錢去皮　炒仁 二錢去殼　土狗 三錢去腸醋炙　蘇木 四錢　共三十六味

各製好　再加牛乳一碗　拌和　焙燥　貯瓶內　如重傷　每服三錢

輕者 一錢五分　陳酒送下

加減十四味方

兎絲子 一錢　肉桂 一錢　劉寄奴 一錢　蒲黃 一錢　杜仲炭 一錢　元胡索 一錢

青皮一錢 只殼一錢 香附子一錢 五靈脂一錢 歸尾一錢 縮砂仁一錢 五加皮一錢半 廣皮二錢 酒水各半同煎服

『紫金丹方』

乳香沒药去油五錢 木耳炭六錢 大黃四錢 地鱉六錢火酒醉用瓦炙干去頭足 血竭五分 麝香三分 碎補五錢 烏药六錢 歸尾五錢酒浸 麻皮四錢炒 自然銅五錢醋炙七次 盆硝一兩 共研細末每服三分 陳酒送下如吐血一分 婦女血崩一分五厘 童便和酒送下骨折八分 酒下看病輕重 服為止 每日一服 不可多服 如婦人經水不通八厘加麝 七厘酒調 服即通

『奪命接骨丹』

損傷略有微氣 內有三四穴 絕命處 不傷 用之即效地鱉五錢製 自然銅二錢煅 乳香 沒药一錢五分去油 血竭二錢五分透明 古錢一錢五分醋炙七次 紅花二錢 碎補二錢去毛童便炙 麻皮根二錢炒 歸尾二錢酒浸 蜜二兩

右葯共研細末每服 一分二厘 火酒送下

「末葯方」

大黃 三錢 地榆 二錢 乳香沒葯 各二錢去油 龍骨 五錢 血竭 一兩 射香 二錢

象皮 二錢 阿魏 一兩 地鱉 一兩 繭綿灰 一錢 胎髮灰 二個 臍帶 二條

牙齒 四五個酒炙七次 胎骨 一兩 狗胎 二個 青歸 三錢 牛膝 三錢 九死還魂草 四錢

防風 三錢 肉桂 三錢 仙橋 五分 鵝虱草 三錢 猢猻竹根 三錢 落得打 三錢

檀香 四兩 降香 五錢 速香 三錢 沉香 五錢

共研細末臨用時調葯內

「又方」

地鱉 十個酒炙 白地龍 十條即白項曲蟮洗干 自然銅 二錢醋煆 骨碎補 三錢去毛 乳香沒葯 一錢去油

共研細末每服 一錢 酒送下

「加減十三味又方」

赤芍　烏藥　枳殼　青皮　木香　香附　桃仁　玄胡　三稜　蓬朮

寄奴　砂仁　蘇木

危急者去寄奴　加葱白　如吐血加荊芥三錢炒焦　藕節一兩　陳酒煎服

「又方」

廣皮一錢五分　青皮一錢　五靈脂三錢　生蒲黃二錢　赤芍二錢　歸尾三

桃仁二錢　香附一錢　五加皮二錢　紅花一錢五分　枳殼二錢　烏葯二錢　砂仁二錢

元胡一錢五分　陳酒煎服

「通治發散方」凡損傷　先須發散　瘀血　不過重症　宜通用一二劑

川芎二錢　歸尾二錢五分　防風二錢　羌活二錢　荊芥二錢五分　澤蘭二錢五分

枳殼二錢　獨活二錢　猴姜二錢五分　加天葱豆三枝水煎酒冲神效

「發散上部方」

防風二錢　白芷一錢　紅木香一錢　川芎二錢　歸尾二錢　赤芍二錢　陳皮二錢　羌活二錢　法夏二錢　獨活一錢五分　碎補一錢五分　甘草一錢　生姜三片　水煎酒沖服

「發散中部方」

杜仲　川斷　貝母　桃仁　寄奴　蔓荊子各二錢　當歸　赤芍　自然銅醋煅各三錢　肉桂八分　茜草一錢　細辛一錢　水煎酒沖姜汁服

「發散下部方」

牛膝　木瓜　獨活　羌活各三錢　歸尾二錢　川芎二錢　川斷　厚朴　靈仙　赤芍　銀花各二錢五分　甘節一錢

水煎酒沖姜汁服

凡人上中下三處受傷　須用發散葯一二劑爲要　氣急有痰
加製半夏二錢　風痰加製南星二錢　心驚加胆星一錢五分　桂心八分
香附一錢五分　仝煎服　看症加減　通經引葯列後
頭腰痛者　加　川芎　藁本三錢　手肩用　桂枝　柴胡三錢　胸胃加
吳茱萸　草頭蔻三錢　肚腹加白芍厚朴二錢　心胸疼者加　肉桂二錢
陳皮三錢去白　腰腎加　核桃肉　破故紙　川斷　杜仲　左脇氣刺痛　枳殼
青皮三錢　右脇血瘀痛　桃仁二錢　破血　元胡索二錢　調諸血　當歸二錢
活血　川芎二錢　補血　川芎　筋脉痛　甘草二錢　週身骨節痛　川羌
活三錢　腹腸中窄痛　蒼朮　廣木香　調諸胃氣　廣木香　男加減木香
爲君　女加減香附子爲君左用青皮　香附　蔓荊子二錢　右用　柴胡二錢
赤芍　當歸三錢　如發潮熱　重用　柴胡爲君　出虛汗　蜜製黃芪

爲君　人參　補元氣　脾胃寒者更妙　白朮消痰化氣　骪皮熱　黃芩三錢
去胃痰　製半夏　消風痰　製南星　上焦濕腫　防風　龍胆草二錢
中焦濕熱　黃連　下焦濕熱　黃柏　惱渴者　加白茯苓　葛根　廬嗽者
五味子　嗽無痰　杏仁　防風　生姜　嗽有痰　製半夏　枳殼　防風
各二錢
治泄瀉　白朮　白芍　痰喘　阿膠　天門冬　麥門冬　水瀉　白朮
茯苓　澤瀉　痢疾　當歸　白芍　上部見血　防風　中部見血　黃連
下部見血　地榆　眼暴發　當歸　防風　黃連　目昏暗　熟地　當歸
細辛　破傷風　防風　爲君　白朮　甘草爲佐　傷寒　甘草爲君　防風
白朮爲佐　諸風痛　明天麻防風爲君　諸瘡毒　黃柏知母爲君　連翹黃
芩爲佐　小便不利　黃柏知母茯苓澤瀉爲佐　以上諸葯　悉按經絡部位

主治　凡損傷人　略代內症　服葯不效　臨症時　須將前項　何病何葯治之　無不立見奇效　看病之要訣也

「受傷發癲症方」

烏葯　天竺黃 一錢　砂仁　麻黃　陳皮　寄奴　肉桂　紫丁香 各五分　胆星硃砂 六分　川羌活　升麻　金箔 各一錢五分　水煎服神效

「受傷恍惚急治方」

人參 二錢　辰砂 八分　遠志 一錢五分　金箔 一錢　水煎服　胃寒者　加厚朴桂心　橘紅 二錢　熱者加　條芩 二錢　嫩柴胡 一錢　前胡 一錢五分　身發冷加人參 二錢　白芍 三錢　麻黃 一錢五分　鬱金 一錢五分　熱不凉加連翹 二錢　三稜　薄花 各一錢五分　大腹皮 二錢　小便自出加紫丁香 一錢五分　荔枝核 七分　小便不出車前子發寒㗂加　防風 二錢　細辛 一錢　製南星 八分　旋覆花

白菊花一錢　荊芥穗一錢五分　煎服

受傷　眩　暈　言語恍惚　是臟腑受損急治方

辰砂八分　琥珀一錢　廣木香一錢五分　川楝子一錢五分　白茯苓二錢　杜仲二錢

枸杞子二錢　當歸一錢五分　如翻肚有痰者製半夏一錢五分　赤丁香一錢　酒炒

砂仁二錢　製附子二錢　旋覆花一錢五分　如嘔吐不止飲食不安紫丁香草果

製南星法夏砂仁赤檀香　生姜汁各一錢五分　煎服三次　不效必是腸斷七日内死

「破傷風方」

防風三錢　羌活三錢　荊芥三錢　製南星一錢　根生地二錢　白芷二錢

歸尾三錢　紅花二錢　寄奴二錢五分　明天麻煅一錢五分　煎服神效

「大成湯」

重傷　昏暈不醒　二便不通　定防臟腑瘀血　宜服此方　陳皮 一錢
當歸 二錢　蘇木 二錢　木通 一錢五分　紅花 二錢　厚朴 一錢五分　枳殼 一錢五分
大黃 二錢　朴硝 一錢　甘草 一錢五分　水煎加蜜三匙　冲服效

「弍成湯」

陳皮 一錢　法夏 二錢　茯苓 三錢　枳殼 二錢　紅花　當歸　川芎　白芷 各一錢
梹榔 八分　黃芪 二錢　桔梗　青皮　烏葯 一錢五分　枳實　黃芩 六分
蘇木 一錢　加紫蘇 三錢　姜 三片　紅棗 五枚　仝煎服

「上三穴」頭　肩　胸　凡上　中　下　三處　受傷方　看明用葯　更
妙　川芎　當歸　紅花 各二錢　野地黃 四錢　木耳炭 二錢　麥麻 二錢 炒　研末
酒呑下立效　狗脊灰 五錢　大腹皮 三錢　車前子 二錢　木通 二錢　建杏仁 五錢
砂仁 三錢　童便製　研末　酒呑下神效

「下三穴臀腿足受傷方」

木瓜　米仁　赤芍　紅花　寄奴各二錢　川牛膝三錢　研末酒冲服

「內傷湯方」

赤芍　乳香　沒葯　藿香　鬱金　防風各三錢　加葱白三根　煎服

「內外肚傷方」

紅花　寄奴　香附　白芷　桃仁各三錢　葱葉　生姜五錢　仝煎服

「跌打反肚方」

當歸六錢　枳壳　桃仁去衣　錦紋各三錢　赤芍五錢　紅花一錢五分　韭子二錢去壳
生蒲黃二錢　酒水各一碗　煎好冲蒲黃　服立效

「骨節斷方」

白地龍五條酒洗去腸泥焙干　川烏去皮　松節　沒葯　乳香三錢去油　陳皮煎服

「腰痛方」

蜜炙黃芪 二錢 鹽水炒杜仲 三錢 破故紙 一錢五分 核桃肉 二錢 陳酒煎服三帖 效 如不飲酒 將酒炙各葯 以水煎服亦可 腰痛又方

杜仲 三錢鹽水炒 破故紙 三錢炒 鳳凰衣 三錢 研末猪腰一副 不可落水 忌鉄器 用竹刀破之 將葯末入腰內 用線紮緊 水煎 配酒吃

「瓜皮散」兼治腰痛閃挫之症

東瓜皮 一兩 小青皮 一兩 陰乾研末 每劑鹽調服 二錢

又方

廣木香 二錢 麝香 三分研末 閃左吹右鼻 閃右吹左鼻

「跌打閃傷」

天喬麥根 三兩 老姜 半斤 陳酒二碗 煎酒渣 敷痛處 即散

「驚風方」

酒法　製南星　防風　指甲灰　冲葯服　神效

「湯成十三味方」調理

明天麻 二錢　小麥粉包裹外以濕紙包煨川芎 二兩炒　研末蜜煉丸　如圓眼大。

每服一丸　熟酒送下　如不飲酒　湯送亦可

「行葯方」（即劈葯）耑治瘀滯

巴霜 一錢　滑石 一錢　大黃 二錢　研末用端午　粽角尖爲丸　如菉荳大

每服七丸　酒送下

「損傷不破皮方」

當歸 三錢　羌活 二錢　獨活 一錢五分　白芷 一錢　碎補 二錢　地鱉 三錢　桃仁 二錢

地骨皮 二錢　生甘草 二錢　紅花 四錢　陳酒冲服

「跌打皮肉破方」

五加皮 五錢 土貝 一錢五分 紅花 二錢 當歸 三錢 生地 五錢 獨活 二錢
甘草 二錢 頭上加川芎 三錢 胸脅加乳香沒葯 二錢 脾肚加赤芍白朮 二錢
手膀加桂枝 二錢 足腿加薏苡仁木瓜 二錢 水煎好酒冲服

「全身受傷洗治方」

碎補 川羌活 地骨皮 金銀花 吳茱萸 桑白皮 甘木瓜 秦艽
川烏 蘇木 各二兩 苗松 二兩 黃皮 一兩半 共葯十二味陳酒三升煎洗

「跌打傷煎葯方」重傷三四劑足矣

川芎 獨活 赤芍 天麻 當歸 白芷 木香 姜黃 防風 羌活 紫蘇
蒼朮 碎補 五加皮 生草 胸腹不寬 加紅花 上部 升麻 澤瀉
中部用杜仲 下部用川牛膝 木瓜 左右脇 柴胡 胸前 背後

桔梗二錢　青皮一錢　輕傷八分　酒水各半煎服　神效

「跌打方」

當歸三錢　防風五分　乳香一錢　紅花八分　生地二錢　丹參二錢　麥冬一錢　桔梗一錢　川斷一錢五分　北沙參八分　地骨皮一錢　生草五分　加燈心一丸酒服

「又方」　乳香一錢五分　靈仙二錢　桃仁一錢　沒葯一錢五分　川斷一錢五分　紅花八分　羌活二錢　砂仁一錢　歸尾二錢　木香一錢　丹參一錢五分　酒煎服

「又方」　獨活二錢　川斷一錢五分　沒葯一錢五分　防風一錢五分　紅花八分　丹參一錢五分　歸尾二錢　牛膝二錢　烏葯　赤芍　乳香各一錢五分　靈仙一錢　酒煎服　忌葱　荳　醋　又加茘子花冲服　若破傷亦忌

「重傷方」紅花一錢　防風二錢　碎補生地各三錢　川芎連翹各二錢　當歸三錢

靈仙 二錢 乳香 五分 桃仁 一錢 五加皮沒葯 各一錢 川烏 三分

加蜂蜜 核桃 酒 煎服 此葯口吐白痰 解之用冷濃茶汁

「重傷方二」

乳香砂仁 各一錢 沒葯 一錢五分 木香桃仁 各一錢 羌活 二錢 紅花 八分 靈仙 二錢

歸尾川斷 各二錢 丹參 一錢五分 陳酒煎服

又方 獨活 三錢 乳香 二錢五分去油 沒葯 去油 防風 歸尾 牛膝 赤芍 丹參

川斷 靈仙 各二錢 烏葯 一錢五分 紅花 一錢 加荔枝花 先冲 酒服

「跌打損傷方」有草葯名 七里香 莖 二錢 頭 一錢五分 陳酒吞服 葉可

敷

「無名腫毒」跌打損傷吐血方服此方神效

金銀花根搗碎取汁合口加童便 熱酒 冲服 渣敷痛處 即愈

「胡桃散兼酒方」血海穴　受傷　久則成痞　核桃 一歲一個　搥碎陳酒浸每個加朴硝 二分　入鍋內煎酒乾　爲度　吃核桃肉　立效

「洗瘡方」葱頭　花根　煎湯洗　加酒更妙

「三烏一点黃葯方」烏葯　澤瀉　烏米　飯根 即老鴉米　黃皮香

「三烏一點紅葯方」烏葯　澤瀉　烏米　飯根　鶴頂紅 各五錢　酒煎服

『吃素人受傷　葷葯不用方』如地鱉　地龍　耳骨　象皮　胞胎　等葯各用　代之　多用牛乳　人乳　陳酒　米醋　製煉　各葯亦效

「喉管割斷方」

兼治肚腹皮破　用桑棉線縫之　如腹皮破　腸不損可救　將萬年青連根搗汁　洗傷自收　用桑絲線縫之　先用止血丹　搽傷處　服奪命丹 二錢　次服接筋骨丹方　丸散　葯全愈

「草葯方」

槿松樹根　猢猻竹根（每歲一錢）　金雀花根　烏桕樹根（少用）　格芢根　獅子頭草根　天喬麥根（每歲一錢）　鳳尾草　牛口刺根　酸草（多用）

「上部分上　中　下　三部　用葯方」

形色相似　分其真假　均不可亂用誤人　單鞭救主　馬蘭籐　鐵用籐　龍瓦金錢　遇山龍（茜草）　活血草（仝上）　牛口刺　即薔薇　對開花　金錢　薄荷　倒插金釵　五爪金龍　大五爪　小五爪（各一錢）　陳酒煎服

「上部活血方」

蘇木　防風　馬蘭籐　劉寄奴　蘇薄荷　酒煎服　如發腫金鷄獨立　金錢　薄荷　陳酒煎服

「中部草葯方」

黃水薊　雪裏開花　山東青山內有即萬年青　鬧揚花根必須用根餘俱不可用　小將軍　七里香
獨將擒王　金將花根　即金雀花根　錦添樹根　金絲毛草　七重寶塔
酒煎服　中部瘀血不清　必至瀉　瀉去自愈
蝴蝶花即射干　水竹根即葱根　扁豆花　金絲弔鱉九死還魂草　即卷柏
酒煎服

「下部草葯方」

威靈仙　川牛膝　七里香茶圓花似桂花一葉香香　金蒂鐘　蛟龍還山遍地香　紅木香

「下部傷筋損骨葯加方」

倒掛金鐘　活血草　夜合珠即赤首烏　健筋草同煎

「上中下部草葯方」

洞裏仙　七星劍　鳳尾草　九龍尾　鶯爪刺　天喬麥同喬麥　金不換即三七似竹鞭根

亂紒窠 細葉是草 岩姜 陳酒煎服

「五虎散」

鬧楊花根 獨將擒王 錦添樹根 倒掛金鐘 各二錢 陳酒煎服 加燈心丸

搏實 如圓眼大 和葯煎

「地鱉紫金丹」

血竭 八錢 月石 八錢 川斷 三錢鹽炒 五加皮 五錢童便製 川牛膝 五錢酒炙 麝香 四分

自然銅 八錢醋炙 製胎骨 三錢 地鱉 五錢酒製 土狗 五錢製 貝母 三錢 蘇木 三錢

烏葯 五錢炒 元胡 五錢醋炒 香附 四錢製 青木香 四錢 當歸 五錢酒炒 桃仁 五錢 廣皮 三錢

靈仙 五錢酒炒 澤蘭 三錢 續隨子 工錢五分去油 五靈脂 三錢干醋炒 共二十三味 研末如重

傷每服 三錢 輕傷 一錢五分 陳酒送下

「七厘散」

盆硝八錢　廣皮五錢　蓬朮五錢　大黃六錢　赤川芎二錢五分　砂仁四錢去殼　烏葯三錢

地鱉八錢酒洗　枳殼三錢麥麩炒　當歸六錢酒浸　續隨子五錢去油　三稜三錢醋炒　青皮三錢　木香六錢去皮

血竭八錢醋炙　土狗六錢　肉桂四錢　五加皮八錢童便炙　巴豆霜二錢五分炒去油　五靈脂六錢乳製

生蒲黃六錢　麝香二錢　胎骨粉五錢　右爲二十三味研末　如重傷二分半

輕傷一分半　再輕者一分　陳酒呑服神效

「治跌打方」

地鱉三錢　胎骨二錢　龍骨二錢　地龍三錢　猴骨三錢　參三七三錢　血竭三錢

射五分　沒葯三錢　飛硃砂二錢　自然銅三錢　木耳炭一錢　雄胆二錢

碎補二錢　黃連三錢　樟腦一錢　山羊血一錢五分　白用胆一個　南蛇胆一錢

研末用

「鄭天文祖保命丹」

專治一切跌打　損傷　筋斷　骨碎　皮破　血迷心竅　悶絕將死　飲食不進　撬齒灌下三分　待寸香時　便得還甦　神效

落得打　滴乳香去油　桃仁去皮　上官桂晒　血見愁　地鱉二兩醋炙酒洗　元胡索酒炙　沒葯去油　琥珀仝燈心研細末　自然銅醋煅七次　鮮紅花微炒　廣木香晒　無名異煅研水飛　仝當歸酒炒　眞降香晒　紅志肉帶包甦去油淨　半兩錢七個　核桃肉酒洗七個　仝搗糊　以上葯各一兩　共研細末每服三分　陳酒吞下　不飲酒用當歸　蘇木二錢　煎湯送下　吃酒一盃　及重傷臨危者　服之神效

「保命丹」

乳香　沒葯三錢去油　雄精二錢　飛硃砂一錢　麝香　冰片各五分　血竭三錢　紅花二錢　自然銅四錢煅　當歸四錢酒炙　赤芍三錢童便炙　白芷二錢五分鹽炒　紅曲三錢　地鱉四錢酒洗　碎補四錢去毛　白木耳炭一兩　共研末　凡遇傷者　先服三錢　後用

治傷藥　加胡椒一錢五分

「接骨丹」

當歸二兩酒炒　乳香　沒葯各八錢去油　澤蘭　碎補各二兩酒炒　續隨子生二兩　地鱉五錢製　桂枝五錢　參三七三錢　自然銅二兩煅　血竭五錢　煅龍骨五錢　共十二味製研細末　陳酒冲服　二錢

「又方」

製地鱉一錢　乳香　沒葯各一錢去油　煅龍骨一錢　眞血竭一錢　歸尾一錢酒浸　紅花一錢　巴豆霜去油淨一錢　製半夏一錢　共九味研末每服一分酒送下

「治跌打傷風散葯方」

地尤四兩去皮　石斛一兩　川烏　草烏去皮一兩　羌活　麻黃　蟬蛻　明天麻　細辛　防風　甘草各一兩　荊芥二兩　雄黃三錢五分　共研末每服四錢

加葱白 紫蘇 生姜 煎湯冲服 神效 如損傷 瘀血阻滯 遍成毒

係風火結毒 服之亦效

丸葯類

「接骨丸一方」

地鱉 五錢 法夏 巴豆霜 二錢 乳香 沒葯 去油三錢 歸尾 四錢 盆硝 三錢

血竭 二錢五分 共研末燒酒爲丸陳酒冲二分立效

「接骨丸二方」

巴豆霜 去淨油 當歸 五錢 桃仁 青皮 八分 赤芍 枳殼 桔梗 麥芽

木通 各一錢 紅花 山葯 五錢 丹皮 五錢 乳香 沒葯 三錢去油 川甲 火酒炒

白檀香 各三錢 酒爲丸 紅糖 火酒吞下 立效

「治傷奪命丸」

木耳炭 紫金藤二兩 桃仁 當歸一兩 紅花五錢 五加皮二兩 靈仙還魂草一兩半 白斷蚓 地鱉各四十隻 前冲狗胎骨一個 滾酒冲洗 去毛腸 腦 爪 火煨燥 研末爲丸 似圓眼大 金箔爲衣 每一丸 陳酒吞服神效

「扶身丸」

血見愁五錢 落得打三兩 螻蛄蚪三兩 眞辰砂五錢 沒葯去油淨三兩 眞麝香一錢 白木耳炭三兩 共七味 研細末 大棗肉爲丸 似圓眼大 金箔爲衣 凡遇干戈時 口含一丸 嚥咽有神效

「六味地黃丸」

茯苓乳蒸 生地 杏仁 山萸 山葯各四兩 砂仁五錢 前胡三兩去皮蒸晒七次 陳皮 澤瀉各三兩 丹皮 肉桂各二兩

共研末　蜜丸梧桐子大　清湯空心服

「三花丸」

鬧楊花　對開花　雪裏開花

「三木香丸」

青木香　白木香　紅木香

「三香丸」

七里香　遍地香　併地香

敷葯類

「跌打掺葯方」

乳香　沒葯去油二錢　煅龍骨五錢　無名異二錢炒　共研末　瓷器收貯　如骨折者　外體用

「封葯方」

治刀斧　破傷　疼痛　出血不止　或腐　爛　敷之立效　乳香　沒葯二錢去油
輕粉二錢半　雄精五錢　共研細末　貯瓶內　用時　菜油調敷破傷處
若有臙血　用甘草　湯　洗淨　以線繫烤燥　封葯敷之　外用舊黑綿紙
貼　再縛上　止痛神效

「又方」

五倍子三兩炒蒸出汁研末五分　人蔘研末少許　松香五兩　研末敷之即愈

「又方」

小青皮　梓樹根葉　研末敷之　立止血

「又方」

松香　白灰爲青魚腦殼即壙內古石灰　少些研末　取韭菜汁　和搗成團　放壁上

通風陰干　收貯聽用　此葯　宜三月初三　五月初五　七月初七　虔誠修合　方效

「又方」

乳香　沒葯　白占　胎骨　甘石煅　象皮　冰片　阿魏　龍骨　兒茶　硃砂　輕粉　血竭　赤石脂　硼砂各二錢　研細末用

「又方」

千年藤二錢　木瓜灰一錢　石壙灰三兩　花蕊石一錢五分　共研細末　韭菜汁調陰干　再研細用　敷之立止血　神效

「立效散」

治破傷出血　煅龍骨　赤石脂　胎髮灰　燈心灰　眞白占各三錢　冰片一分　兒茶三錢　生半夏二錢五分　血竭一錢　乳香　沒葯各二錢去油　海螵蛸一錢

射五分 共研細末 貯瓶 聽用勿令出氣

膏藥類

「損傷接骨活血膏方」

蒼朮四两 川椒三錢 赤芍四錢 元參三錢 莪朮二錢 碎補三錢 川貝三錢
木瓜三錢 連翹四錢 苦參三錢 檳榔七錢 升麻二錢 白朮三錢 地丁三錢
麻黃二錢 枳殼二錢 蒺藜三錢 秦艽五錢 陳皮三錢 大黃三錢 黃柏二錢
白芷二錢 元胡三錢 紅花二錢 柴胡三錢 大茴三錢 細辛二錢 川甲五錢
赤芍四錢 花粉二錢 杏仁三錢 杜仲四錢 黃芪二錢 防膠四錢 烏葯三錢
良姜五錢 紫蘇四錢 熟地五錢 知母二錢 當歸三錢 澤瀉二錢 牛膝四錢
黃連二錢 黃芩二錢 滑石三錢 三稜二錢 桃仁五錢 川斷四錢 香附三錢
厚朴四錢 桔梗三錢 青皮五錢 薄荷五錢 羌活四錢 獨活四錢 木香三錢

赤斂 二錢 前胡 四錢 天冬 二錢 麥冬 二錢 姜虫 三錢 丹皮 五錢 猪苓 二錢
官桂 三錢 木通 四錢 桂枝 二錢 巴豆 十粒 川芎 三錢 生地 六錢 查肉 五錢
寄奴 四錢 阿魏 二錢 靈仙 三錢 白斂 二錢 加皮 五錢 荊芥 三錢 蘇木 五錢
桑皮 三錢 共七十八味眞蔴油七斤二兩夏浸葯十日 春秋十五日 冬一
月 入鍋內 以文 武火 煎至葯化炭 去渣 加葱白 十個 梅干 十個
酒 三壺 山黃草 一兩一錢 蜈蚣 十條 再熬數沸 去渣 煎熬至滴水成珠
加黃丹 一斤 水飛炒 七次 鉛粉 三斤炒篩 松香 一斤 文火下之 收貯埋
地 存性 十數日 可貼 另加滲葯

「治損傷膏葯方」

歸尾 桃仁 紅花 川斷 五加皮 碎補 靈仙 各五錢 肉桂 赤芍
防風 羌活 荊芥 淮葯 各四錢 白芷 二錢 甘草 二錢 虎骨 一兩 金銀

花 三錢　松香 五兩　水粉 四兩炒黄　黄丹 四錢炒　鉛粉 四兩炒　麻油 三斤十兩
葯浸油內　春秋五日　夏三日　冬七日　宜天一生氣　吉日　放入鍋內
煎至枯焦　去渣　再煎油滴水成珠　方入松香　水粉　鉛粉　黄丹等
加阿魏 四兩　血竭 四兩　麝香 一錢　除火　投入　和勻　凡煎葯膏丹
須用桑枝　楊柳條　共攪　煎好　收起　須存性

「又方」

五加皮 二兩　紫丁香 三錢　荊芥 八錢　知母厚朴 一兩　虎骨 一兩　血竭 一兩
松香 五錢　老姜 四兩　大蒜 四兩　蒜頭 四兩　桑白皮 一兩　麻油 二斤半　煎
成膏　加鉛粉 半斤炒黄　麝香 一錢　輕粉 五錢　除火取起　存性　貼神效

「治年久損傷　翻覆　骨脊　疼痛　濕漏　風骨　等症　膏」

鵝合 五斤　油 五斤　煎好　用鉛粉 一斤十兩炒黄　收之爲生　膏葯存性　效

再加肉桂三錢 射八分 麻油四兩 木香一錢 香附一兩 當歸一兩 紅花一兩 靈仙一兩半 寄奴兩半 黃丹油炒黑 血竭五加皮酒炒各二兩 乳香去油 沒葯去油各二錢 共研末 煎貼患處 無不全愈

「千槌膏」治跌打 損傷 兼治無名腫毒 頑瘡 瘰癧 神效

銅綠二兩 杏仁三兩六錢 輕粉一錢 松香透明四錢五分 黃占二錢 草麻子去売五錢八分 沒葯三錢去油淨 龍骨煅三錢 右葯水 浸去毒 共搗千餘槌 瓷器收貯 用時溫湯化軟 紅布 油紙攤貼 松香調化 放銅綠 若爛瘡 加龍骨 輕粉

「洗瘡膏」

麻油三兩 黃蠟二兩 黃丹炒一錢 乳香去油三錢 先將油煎滾 次入蠟一滾 又下黃丹 乳香 除火 和勻 聽用

「敷葯膏」

乳香　沒葯去油一兩三錢　龍骨三錢　大黃　地榆　血竭三錢　桃仁　紅花　陳皮　川斷　五加皮　靈仙　碎補　赤芎　丹皮　川芎　參三七　當歸　白芷各二兩　共研末麻油斤半　煎至滴水成珠　不散　入黃丹十兩　調勻末葯　收膏　存性貼

「金瘡長肉膏」

赤石脂醋煅五錢　乳香　沒葯去油各三錢　龍骨醋煅三錢　硃砂二錢　川連二錢　胎骨三錢　貝母五錢　文蛤焙五錢　黃柏三錢　角黃二錢童便煅　兒茶二錢　鹿角二錢煅炭　生石膏二兩一塊　用黃泥童便調爛　將石羔一味入泥內火煅燥　取出　存性　共研細末　同加麻油煎成膏　看傷輕　重　輕上二三錢　重上四五錢　貼患處　立效

「接骨膏」一名豆尖膏　又名鼠菉膏

用鼠糞（兩頭尖者槌晒干研末）　菉豆粉（炒黃色）　飛羅麵粉亦可　生猪油去筋膜槌搗成膏　略炒微熱　用綿絮做成膏　貼患處　小榆樹皮夾之　或桑樹皮亦可　夾之

「損傷接骨膏」

五加皮（一兩）　乳香　沒葯（各三錢）　葱頭（四個）　大蒜（四個）　糯米飯　一匙紅曲（三錢）　白葯（一個）　共搗糊貼患處　三日一換　二服　其骨自接　第七日用膏貼　全愈

「白玉膏」

白占　黃占（各一兩）　兒茶　乳香（去油）　沒葯（去油各三錢）　銀硃（三錢）　生猪油（二兩）熬去渣　加葱白　共煎如炭色　取油滴下成珠　入白占化過　取入碗內

投入葯和匀　存性　三日可用

治損傷　遠年不愈　內有瘀血　全身疼痛　風雨時徧身酸脹者　是也

發疼脹時　從何處起即將穴內灸一火針　神效　用雷火針

「雷火針　切忌血運行部位時辰法列下」（欲知氣血論）

欲知氣血注何經　子胆丑肝肺主寅　大腸胃主卯辰眞　脾巳心午未小腸

若問膀胱腎絡焦　申酉戌亥是本根

（血行止十二時各大穴道訣云）

子踝丑腰寅在目　卯面辰頭巳手足　午胸未腹申心中　酉脾戌頭亥踝續　此是內外血運

（又定四季八神血運切忌云）

春左脅　夏膝足　秋右脇　冬腹臀

（又十天干神）

甲氣血順行　甲頭乙喉　丙肩　丁心　戊腹　己背　庚辛膝　壬胸　癸足　凡內外　血運行之處　切須看明　不可誤人　血運即人一身之命根也　故云凡灸火更不可亂治愼之愼之

「雷火神針方」 此方針灸　必須看明穴道　格外神效　或灸痛處亦可

乳香　沒葯 三錢去油　川烏　草烏 一錢去皮　天竺黃　雄黃　甘松　山柰　蘇子白芷　蒼朮　香草　腦氷 各二錢　檀香　川羗　防風 各三錢　鵓鴿糞 干四錢蜈蚣 三條　蘄艾 二兩　減分 一兩　眞射 一錢　共研細末　用火紙包捲　外用荊川紙　同捲緊　再用鷄蛋靑　烏金紙封定　不可令其出氣　用時以紅布 四五層　替人身上　又用蒜一片　貼肉　點正穴道　更妙　或灸痛處　亦效

又方

麝香八分　甘松五分　山柰一個　蒼朮三個　白芷三錢　細辛一錢　川羌二錢

蘄艾一兩　薄荷二錢　五加皮三錢　獨活二錢　附子四錢　草烏一個去皮尖

共研極細末　紙捲筒　照前法灸之　神效

凡雷火針　百病皆可灸治　大忌氣色二月　以及新鮮　油　膩　煎　炒　一切發汛動氣等物　要忌一月　十日內忌茶葉　燈心　廣皮　凡養病者　一切心事　諸般放寬　培養精神　爲要

「艾灸法」治膀胱　胞肚　打傷　小便閉急

先用麝香一分　入臍內　又用白礬一錢五分　水飛鹽一撮　蓋之　用艾　火灸三次　爲度　其便即通　立效

「吹鼻散」

煆猪牙皂 三錢 皂角 焙干二錢 白芷 炒二錢五分 麝香 三分 淡砂 二錢 細辛 一錢五分 半夏 二錢 共研細末 瓷器收貯 不令出氣 無論縊死魘死 產後血暈死 胸中稍有暖氣者 將葯吹入鼻內 即甦 神效

點穴秘訣終

珍藏秘本

五臺山靈空禪師

點穴秘訣

（附治傷秘方）

灵空禅师

五台道僧[1]

两度花甲

其颜犹童[2]

访道求真

遍历各省

五禽传法

象形会悟也宗[3]

以术益寿

普度众生

虚无上人灵空禅师之像

注释

① 灵空禅师，五台道僧：灵空禅师，是五台山的得道高僧。

② 两度花甲，其颜犹童：已经度过两次花甲，他的面容仍像儿童。花甲，60年为一个花甲。此意为一百二十岁。

③ 五禽传法，象形会悟也宗：能传授五禽戏的方法，能领会象形术的宗旨。

序

吾国文化最古，此世界列强所公认。蛟龙猛虎之威，又为人类所能道者也。薛君颠所传艺术，分为先天、后天，刚柔相济，聚精会神，柔能克刚，象龙象虎，撼山震海。遨游遍全国，粹砺[①]数十年，诚武术道中之凤毛麟角，东亚病夫之渡世慈航[②]也。吾人锻炼心身之法，自达摩祖师创易筋、洗髓之术遗示后人，张三丰创武当拳修内功为道术之祖，志士好强，令人景仰。[③]余今夏送小儿鸿钧投考河北省立第一师范，得以天缘[④]邂逅[⑤]薛君于客次[⑥]。曾披览[⑦]其著作之《象形拳法真诠》及《形意拳术讲义》并《一字慧剑之妙诀》，包罗万象，久已风行海内，纸贵洛阳[⑧]，近又集华佗五禽术及其乃师灵空禅师所传之点穴法冶于一炉，著书启秘。处此二十世纪危乱邦家之下，强者存而弱者亡，且有强权而无公理，吾民族有卧薪尝胆、乐志斯道者，获益岂可胜言哉！是为序。

中华民国二十二年岁次癸酉孟秋下浣[⑨]

识于天津县教育会

曹树藩[⑩]

注释

① 粹砺：当为“淬砺”，磨炼兵刃，引申为刻苦进修。

② 渡世慈航：解救世人出苦海的慈航。慈航，佛教认为佛、菩萨以大慈悲救度众生脱离生死苦海，犹如舟航，故名。

③ 志士好强，令人景仰：那些有志之士和自强不息的人们，令人钦佩、仰慕。

④ 天缘：天然的缘分，天大的缘分。

⑤ 邂逅：不期而会。

⑥ 客次：旅店。

⑦ 曾披览：（以前）曾经看过。披，打开，览，阅看。

⑧ 纸贵洛阳：比喻著作风行一时。据记载，晋朝左思的《三都赋》写成后，抢着抄写的人极多，以致洛阳的纸都涨价了。

⑨ 孟秋下浣：（农历）七月下旬。

⑩ 曹树藩：光绪年间曾任翰林院编修。

自序

法曰

灵空禅师五台道僧　　花甲两度其颜犹童
取义南华推广禽经[①]　　参赞先旨演象道成[②]
像取会意八脉通灵　　口授指南点穴汇宗
内附秘方神效无穷　　详细图解参观自明

颠自幼失学无文[③]，天性好道，喜习武事。慕朱家、郭解[④]之遗风，遍历数省，寻师访道。遇良师良友，多蒙指示，无任感荷[⑤]。其中最道高者，莫如五台山南山寺吾灵空禅师。演象得道，寿高花甲两度，以炼神、炼炁普度众生为宗旨，取义南华经，会意五禽术。《庄子》云所谓玄中玄，华佗所谓养五灵，即余著之象形术是也。《易》云：先天，后天；释云：即色，即空。蒙师心法口授，所学者象形妙理，所练者灵神灵根，并蒙赐《点穴秘诀》一册，内附详细图说、秘方数十种。此术先哲秘而不宣，颠不敢自私，发先哲之秘藏，愿公诸社会，以享同志[⑥]。希吾民族有志斯道者，当手[⑦]此一册，以为参考防身之宝筏云尔。

民国二十二年束鹿县页真子[8]著于积德草堂

注释

① 取义南华推广禽经：取义于《南华经》，推广《五禽经》。南华，即《庄子》。禽经，即《五禽经》，传说华佗所创。

② 参赞先旨演象道成：发扬光大先哲的旨意，通过演习象形术而成道。

③ 颠自幼失学无文：薛颠从小失学，没有什么文化。

④ 朱家、郭解：《史记·游侠列传》中的人物。

⑤ 无任感荷：不胜感激。

⑥ 公诸社会，以享同志：公之于社会，分享给有相同志趣的人。

⑦ 手：执，持。

⑧ 页真子：薛颠的号。

凡例

○ 是编点穴一书[①]，为五台山灵空禅师心法相授，昔者[②]先哲秘而不宣，今一朝[③]启其秘藏，余公之于世，以为有志斯道者[④]作参考之必备。

○ 是编本书，注明人身一百零八穴，三十六死穴、七十二麻窍。详细图解穴之分寸及受伤用药之法则，使学者无望洋不及之叹，读之一目了然。

○ 是编书内，详载秘方数百种，真有一方千金不换之价值，学者购得此书，详细参观，方有实益，慎之宝之。

○ 是编本书宗旨，宣布先哲之秘法，而使青年生存于世有自卫之能力。

○ 是编学者，将此术详细研究，心体力行[⑤]，得之于心，而作防身利器，救自己急难为要务。

○ 是编此术，为行侠好义、救人防身之宝筏，学者万不可因一时之私愤，好勇斗恨而乱用，乱则反损阴骘[⑥]，因果报应即是理也[⑦]。

注释

① 是编点穴一书：这本点穴书。

② 昔者：过去，往昔。

③ 一朝：一旦，一下子。

④ 有志斯道者：有志于此道的人。

⑤ 心体力行：用心体会，努力实行。

⑥ 阴骘：阴德，《尚书·洪范》："惟天阴骘下民。"意思是天默默地安定下民。骘，音 zhì，定，安定。后来称阴德为"阴骘"。

⑦ 因果报应即是理也：因果报应就是这个道理。即，就是，是这个。

灵空禅师点穴秘诀目次①

注 释

① 目次：原文的目录与正文有不一致或缺失、混乱的情况，在此依据正文重做补充和整理。

第一章　总纲图解

第一节　正面总穴图

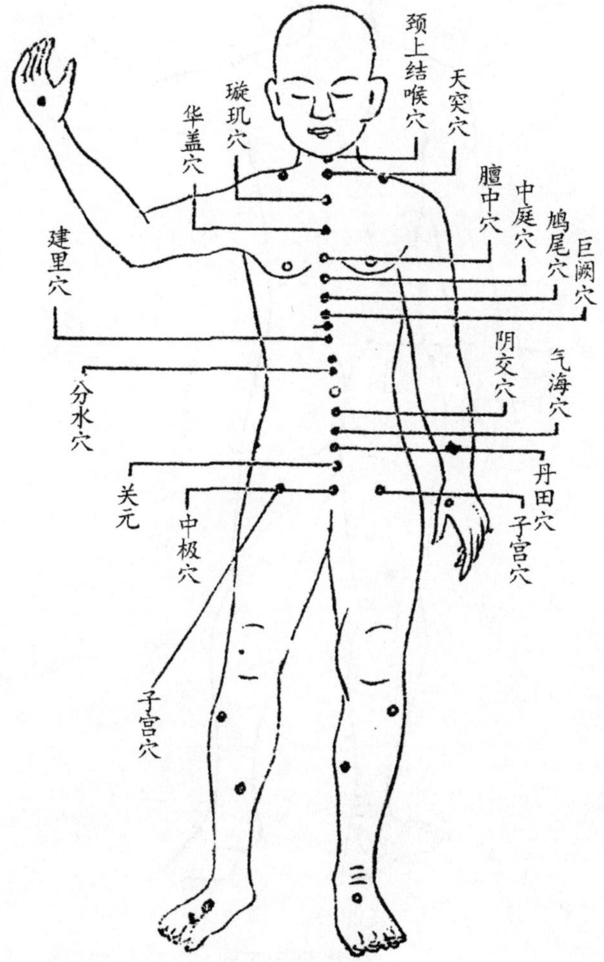

正面总穴图

第二节　背身总穴图

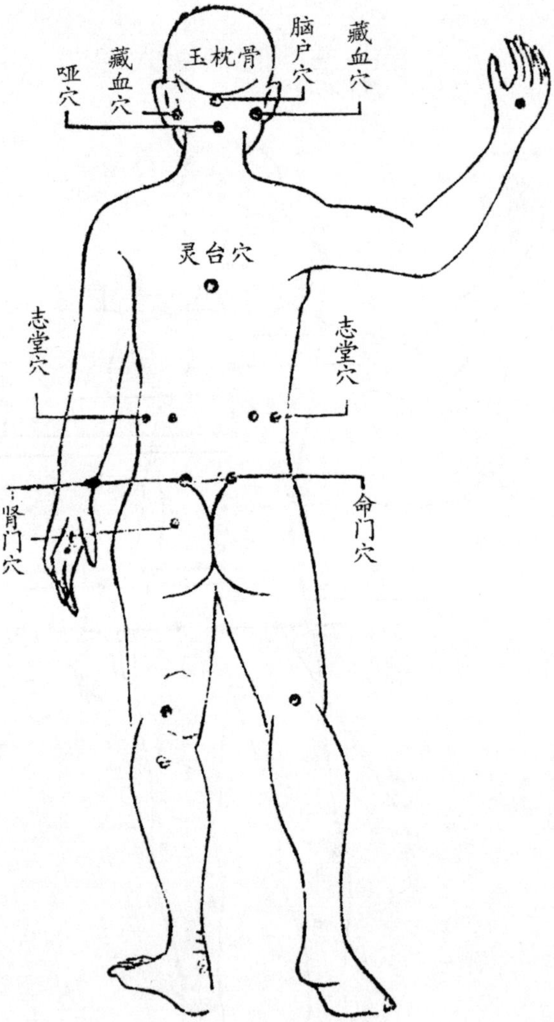

背身总穴图

第三节　正背侧面周身分图

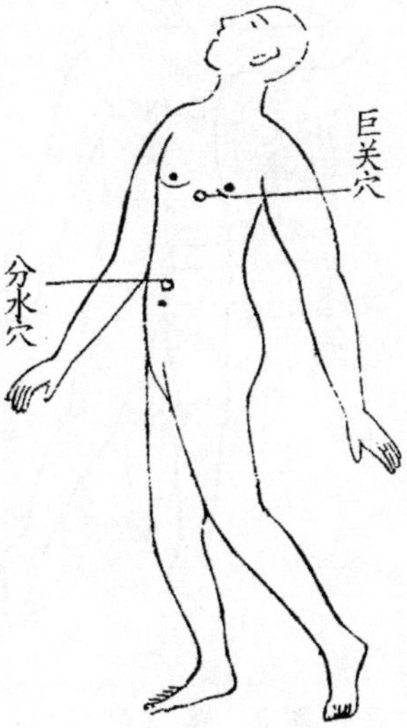

图1　第一图

巨关穴，在鸠尾下一寸，心之幕也，又谓之返魂穴。[1]点重者，昏迷，人事不省。[2]（图1）

用打法，在右边肺底穴半分，使掌一推，即醒。[3]

法用十三味方，加桔梗一钱，川贝一钱同煎，二付服。再服夺命丹三五付，紫金丹二三付。不愈者，一百二十日死。[4]

注释

① 巨关穴……谓之返魂穴：巨关穴，又称“巨阙穴”，在鸠尾穴下面一寸处，是心的帘幕，又叫作“返魂穴”。

② 点重者，昏迷，人事不省：用点穴法点重的，会昏迷、不省人事。

③ 用打法……即醒：用打法（不是点法），在距右边肺底穴半分远处（不要直接打肺底穴）用掌一推，就可苏醒。

按：这是讲临时解救法，由于有严重内伤，接下来还得吃药。

④ 法用十三味……一百二十日死：药治法用十三味方，加桔梗一钱，川贝一钱一起煎好，吃二付。再吃夺命丹三五付，紫金丹二三付。还好不了的，一

百二十天死。

气海穴，在脐下一寸五分男子生精之源。二寸，丹田[1]男子藏精之室。（图 2）

此二穴，以拳足击伤者，三二日亡。

调治法用十三味方，加木通一钱，三棱钱半同煎，冲七厘散一分五厘[2]。再服加减十四味方二付。

服药不愈，四十八日死。

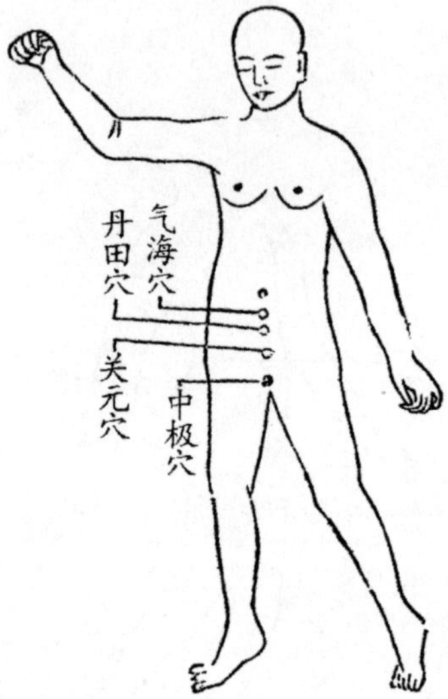

图 2　第二图

注 释

① 二寸，丹田：脐下二寸为丹田穴。

② 冲七厘散一分五厘：用煎好的药汤冲服七厘散一分五厘。

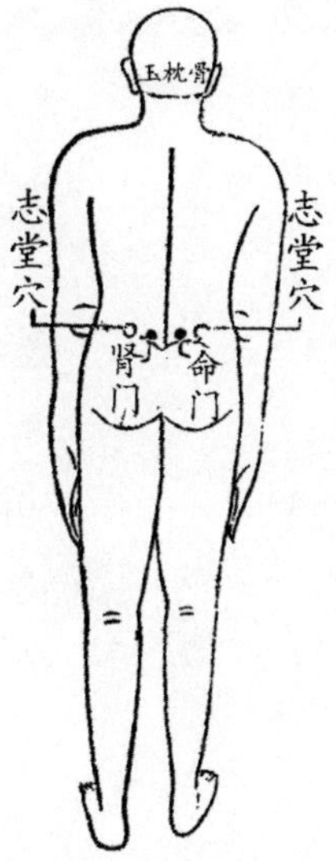

图 3　第三图

志堂穴，在项上大椎下数第十四节两旁，各开三寸，属肾经。[①] 以五法八象之化身点伤者，三日发笑而亡。（图 3）

调治法用十三味方，加桃仁、兎[②]丝子各一钱同煎服[③]。再用夺命丹三五付，再以药酒服之愈[④]。

如不除根，症发而死。[⑤]

注 释

① 志堂穴……属肾经：志堂穴，在颈上大椎往下数第十四节两旁，各离开三寸，属于肾经。

② 兎：原文"兎"字当为"菟"。

③ 同煎服：一起煎服。

④ 再以药酒服之愈：再用药酒吃到痊愈。

⑤ 如不除根，症发而死：如果不彻底治好，将来会复发而死。

臀股尾梢名督脉穴骨稍下二分，为海底穴。[①] 以足点重者，全身失联络，七日主亡。[②]（图 4）

调治法用十三味，加引经药大黄、月石、木瓜各二钱，煎冲夺命丹三付[③]。

如尾梢骨伤，不治而愈，一年发黄胖而死。④

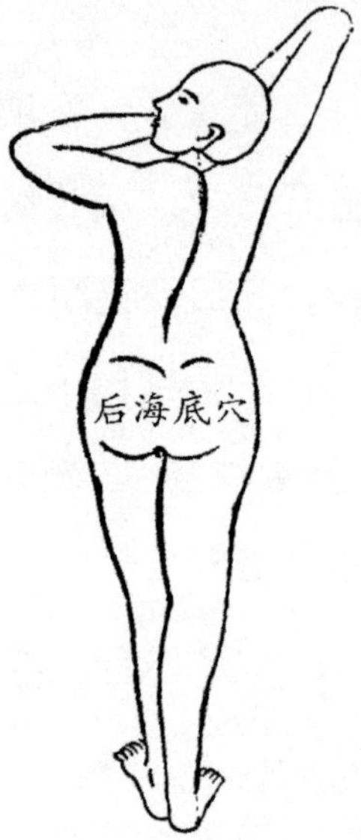

图4　第四图

注 释

① 臀股尾梢名督脉穴骨稍下二分，为海底穴：尾巴骨骨梢下二分处，为海底穴。古时“稍”“梢”通用，此处遵原文，后不另注。

② 以足点重者……七日主亡：用脚点重的，全身失去联络，七日死。

③ 煎冲夺命丹三付：煎好后，用药汤冲服夺命丹，共服三付。

按：夺命丹用量，重伤每次三钱，轻伤每次一钱五分。

④ 如尾梢骨……发黄胖而死：如果是尾巴骨受伤未治好，一年左右发黄发胖而死。

按：发黄发胖当为黄疸和水肿、腹水等症。

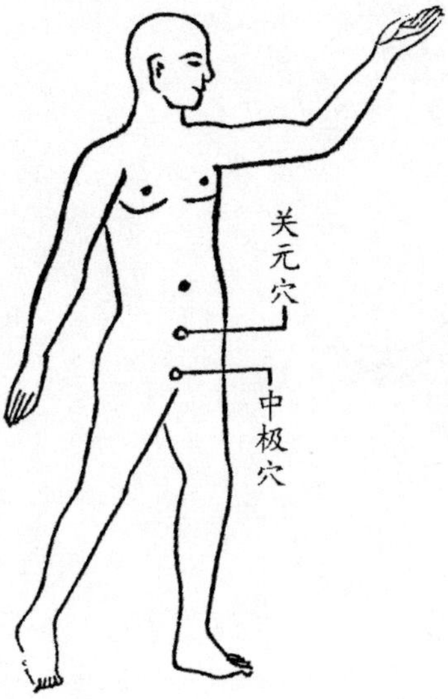

图5　第五图

关元穴，在脐下三寸，为小肠之幕。用足点重者，五日必死。(图5)

调治法用十三味方，加青皮、车前子各二钱同煎，冲七厘散三分服；再服夺命丹三付。

若服药不除根，二十四日死。

中极穴，在脐下四寸，为足三阴之会[①]。以拳足击重者，大小便不通，五日死。(图5)

调治法用十三味方，加生大黄、蓬术、三棱各一钱同煎，冲七厘散一钱五厘，再服紫金丹二付。

若不除根，百日必死。

注释

① 为足三阴之会：是足三阴经交会之处。足三阴经：足少阴肾经、足厥阴肝经、足太阴脾经。

幽门穴，左属肝，右属肺，在心下巨阙穴两旁，各开五分。[①]以五法八象化身击伤者，一日死。(图6)

调治法用十三味方加白豆叩、木香各一钱同煎，冲七厘散三钱服，[②]再服夺命丹三付，再服加减十四味方二付，冲紫金丹三付[③]外上吊药[④]。

如服药不除根，其伤必发[5]，一百二十日死。

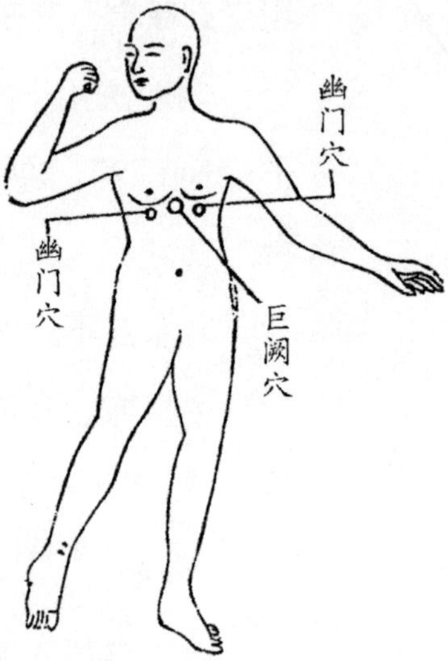

图6　第六图

注 释

① 幽门穴……各开五分：幽门穴，左幽门穴属于肝，右幽门穴属于肺，在心下巨阙穴两旁，各离开五分远处。

② 用十三味方……三钱服：在十三味方里再加上白豆蔻、木香各一钱，一起煎好，用煎好的药汤冲服七厘散三钱。“白豆叩”即“白豆蔻”。

③ 冲紫金丹三付：冲服紫金丹三付。

④ 外上吊药：在用内服药的同时，外面敷上吊药。

⑤ 必发：一定复发。

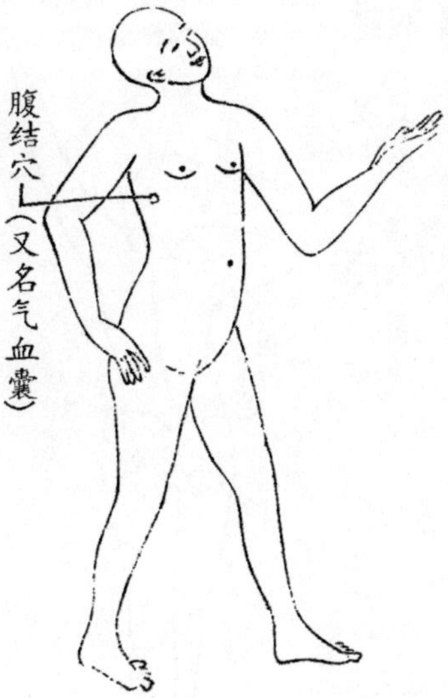

图7　第七图

复结穴，在左胁梢骨下一分。[①]此处气血相交，又名气血囊。右胁亦同[②]。如左[③]受五法八象化身点伤者，四十日亡。

调治法用十三味方加蒲黄二钱、生韭菜子钱五分[④]同煎服。

右腹结穴，拳指点伤者[⑤]，四十日亡。（图7）

调治法用十三味方，加丹皮、红花各一钱同煎服，冲夺命丹二三付。

如不食药，不除根，一年必亡，左右皆同。

注释

① 复结穴，在左胁梢骨下一分：（左）腹结穴，在左胁梢骨下分处。原文“复”字误，当作“腹”。

② 右胁亦同：右腹结穴，在右胁梢骨下一分处。

③ 左：左腹结穴。

④ 钱五分：一钱五分。

⑤ 右腹结穴，拳指点伤者：右腹结穴被拳或指点伤的。点，力量集中于一点进行打击称为“点”。

命门穴，在项上大椎下数第十四节骨下缝间，左旁开一寸五分。[1]以龙爪拳法或足踢，击重者，[2]一日昏迷不省而死。（图8）

调治法用十三味方加桃仁一钱同煎服，再用夺命丹三付。

肾门穴，在项上大椎下数十四节骨下缝间，右旁开[3]一寸五分。以虎爪拳法或足踢，击伤者，吐血，吐痰，三日亡。（图8）

调治法用十三味方加补骨脂、杜仲各一钱五分同煎，冲服夺命丹三付，次服药酒全愈[4]。

如不除根，后发症而死。[5]

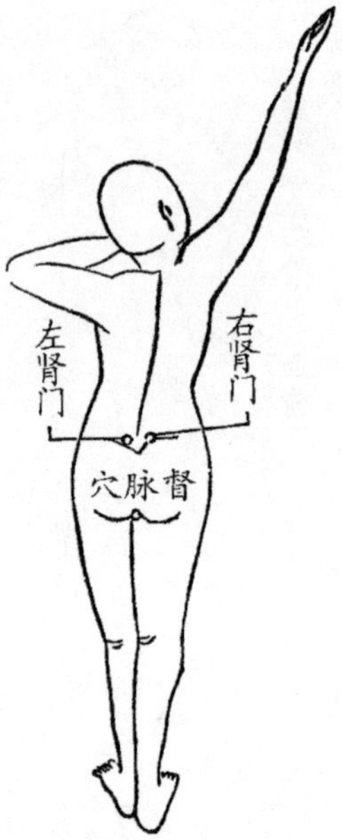

图8 第八图

注释

① 命门穴……一寸五分：命门穴，在颈上大椎往下数第十四节下面骨缝，往右离开一寸五分的地方。原文“左旁开”误，应为“右旁开”。

② 以龙爪拳法或足踢，击重者：用龙爪拳法或用脚踢，打得重的。

③ 右旁开：应为“左旁开”。

④ 次服药酒全愈：再吃药酒，直至痊愈。“全”通“痊”。

⑤ 如不除根，后发症而死：如果不彻底治好，留下病根，以后复发而死。

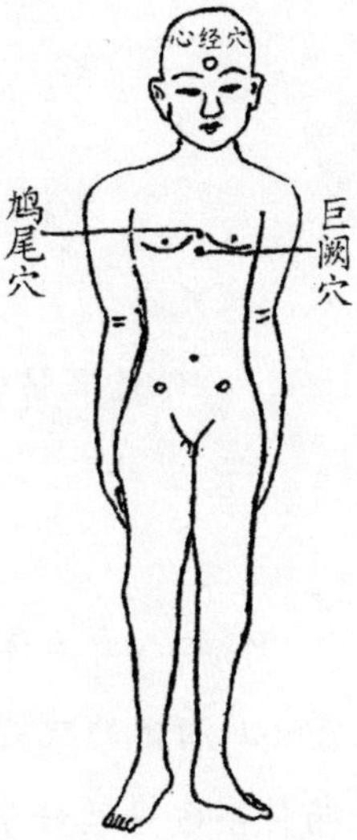

图9　第九图

头额前正中，属心经，主血。[①]用云龙探爪手点伤见血，怕风、发肿，三五日死；不肿、不见风，不死。[②]如受伤，调治法用川羌活、防风各一钱加十三味方同煎服，再用夺命丹三四付即愈。（图9）

注释

① 头额前正中……主血：头额前正中间，属于心经，主于血液流通。

② 用云龙探爪手……不死：用云龙探爪手点伤出血，怕风、发肿的，三五天死；没肿又不受风，不死。

结喉下一寸天突穴，天突下一寸六分璇玑，璇玑下一寸六分华盖穴，即心口上，此穴为五脏之华盖，故名之。[①]以神龙探爪或猛虎奔坡手法点伤者，不省人事，失去知觉性，血瘀心经[②]，不治必死。（图10）

调治法用只壳三钱、良姜一钱加十三味煎服，冲七厘散二分五厘，行心胃中瘀血，泄泻愈。或泄泻不止，用冷粥止。再服夺命丹两付愈。[③]

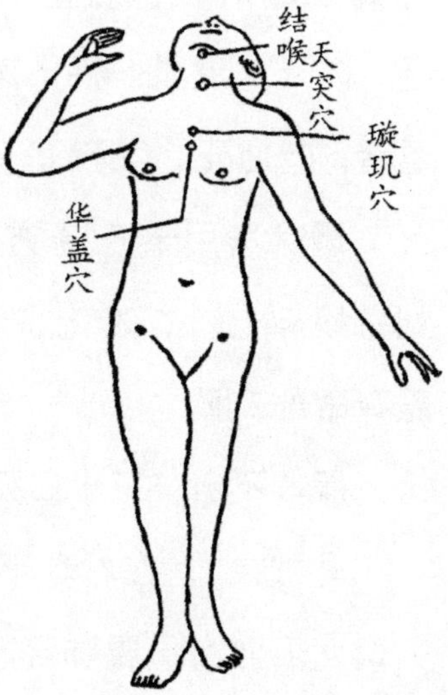

图10　第十图

如不除根，三五日死。

注释

① 结喉下一寸……故名之：喉结往下一寸为天突穴，天突穴往下一寸六分为璇玑穴，璇玑穴往下一寸六分就是华盖穴（即心口上），此穴是五脏的华盖，所以叫作华盖穴。华盖，古时帝王车上华丽的伞盖。

② 血瘀心经：血瘀在心经。

③ 调治法……两付愈：调治法，用枳壳三钱、良姜一钱加入十三味方中煎好，冲服七厘散二分五厘，以行通心胃中的瘀血，能将瘀血泄出的就能好。如果泄出瘀血后仍然腹泻不止，可以用冷粥止住。再吃两付夺命丹就好了。“只壳”即“枳壳”。

乳根穴[①]，在左乳下一寸六分，又谓之翻肚穴，名下血海，属肝经。以云龙虎显、狮子滚球手法点重者，吐血死。(图 11)

调治法用十三味方，加郁金、刘寄奴各一钱半，冲七厘散二分，再服夺命丹二服[②]。

服药不愈，三十日死。

乳根穴[③]，在右乳下一寸六分，又谓之下血海，属肺经。以五法八象手势击伤者，两鼻出血，九日

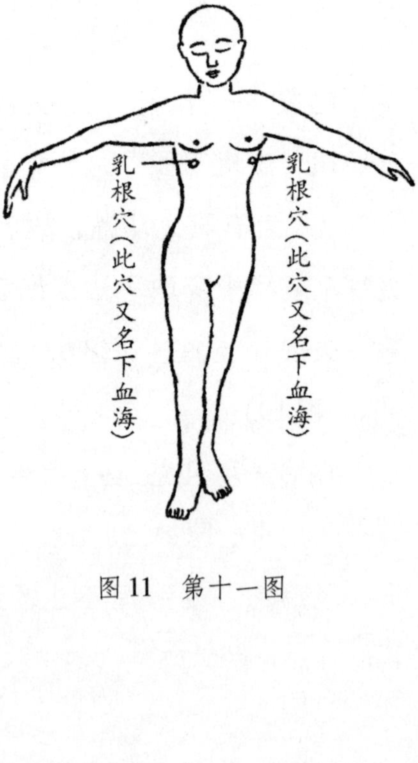

图 11　第十一图

亡。(图 11)

调治：十三味方加百部草、桑白皮各一钱同煎，冲七厘散一分五厘，再服紫金丹三服[④]。

若不除根，一年必死。

注释

① 乳根穴：左乳根穴。

② 再服夺命丹二服：再吃夺命丹二次。

③ 乳根穴：右乳根穴。

④ 再服紫金丹三服：再吃紫金丹三次。

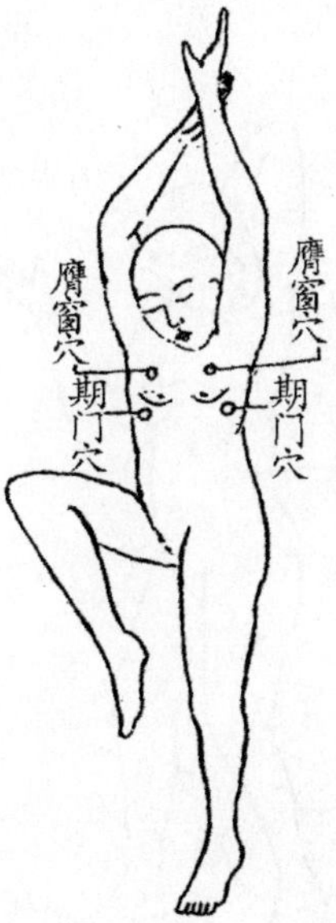

图 12　第十二图

期门穴，直乳二胁端一寸五分，属厥阴肝经。[①]膺窗穴，在左乳上一寸六分，又谓之上血海，属肝经，主血。以龙、虎、猿、象手法、神意点重者，十二日亡。(图 12)

调治：十三味方，加青皮、乳香各一钱煎服，冲七厘散三分，再服夺命丹三付，每服三钱[②]，冲十三味方药内[③]。

膺窗穴，在右乳上一寸六分[④]，又谓之上血海穴，属肺经，主气[⑤]。以拳指点重者[⑥]，十二日死。(图 12)

调治：十三味方加广木香一钱五分同煎，冲七厘散二分，可行瘀血[⑦]，再服夺命丹三付愈。

如不治好，则终身有肺痨之症。

注 释

① 期门穴……属厥阴肝经：期门穴，在乳下第二肋端，不容穴旁一寸五分，属于足厥阴肝经。直，通“值”，当，在。

② 每服三钱：每次吃三钱。

③ 冲十三味方药内：冲化在十三味方的药汤里。

④ 寸：原文“寸”字误，当为“分”。

⑤ 主气：主要关系到气的流通。

⑥ 以拳指点重者：用拳尖或指尖点重的。

⑦ 可行瘀血：能化开和祛除瘀血。

章门穴，属足厥阴肝经，在大横肋外季胁之端，骨尽处，软肉边，脐上二寸，两旁六寸，又名血囊。[①] 以八象手法点重者，四十日死。(图 13)

调治法用十三味方加归尾、苏木各一钱同煎，冲七厘散二分五厘，再服紫金丹三五付愈。如服药不除根，一百日亡。

天池穴，手厥阴经，属心包络，腋下三寸，乳后一寸着胁，直腋撅肋间。[②]（图 13）

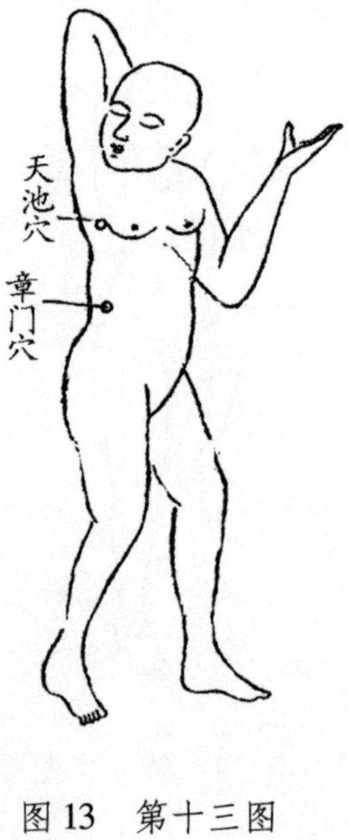

图 13　第十三图

注 释

① 章门穴……又名血囊：章门穴，属于足厥阴肝经，在大横穴外的季胁边缘，骨的尽头，软肉的边上，肚脐往上二寸，再往两旁六寸，又名为血囊。章门穴，位于季肋区第十一肋下端。大横肋，应为“大横穴”。季胁，即胁下小肋骨。

② 天池穴……直腋撅肋间：天池穴，位于手厥阴心包经，属于心包络，在腋下三寸，从乳往后一寸摸着肋骨，正当腋下撅肋之间。撅肋，当为第四肋骨。

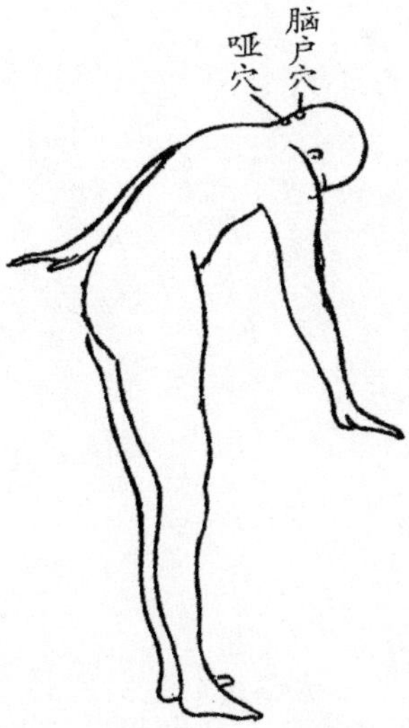

图 14　第十四图

脑户下一寸哑穴。以云龙探爪点伤者，成哑巴，无治。

脑后玉枕骨，又名脑户穴，为督脉阳气上升入泥丸之门户，通十二经络。用云龙探爪击伤重者①，五七日死。（图 14）

调治法用十三味方加当归、川芎各一钱，冲七厘散三分，再服夺命丹三五付愈。

注 释

① 击伤重者：打伤，伤势重的。

两眉梢边，属太阴、太阳，为命门穴。①以拳指点伤者，七日死，轻者十五日亡。如损伤耳目，瘀血化脓②，不死。如伤风发肿者，亦主死。③（图 15）

调治法用十三味方，加川芎、羌活各一钱五分同煎，冲七厘散二分服，再服夺命丹二付，再以八宝丹粉药敷之立效[④]。

如不治愈，十人死九人，慎之！慎之！

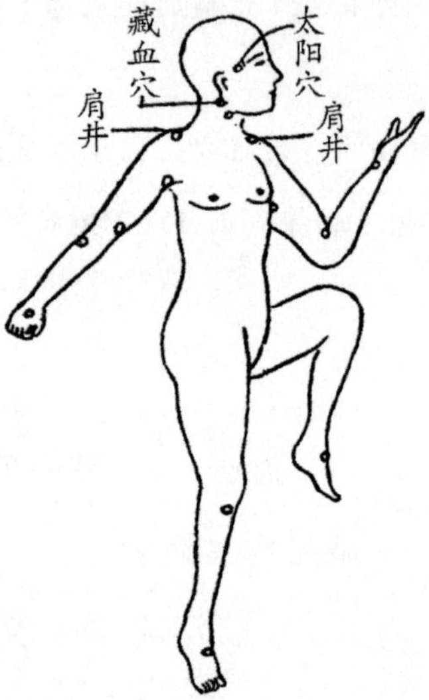

图 15　第十五图

注 释

① 两眉梢边……为命门穴：两眉梢边，属于太阴、太阳，即太阳穴。也有“左为太阳、右为太阴”之说。原文“命门穴”应为“太阳穴”。

② 瘀血化脓：瘀血化了脓。

③ 如伤风发肿者，亦主死：如果是受伤后受风肿了的，也预示着要死。

④ 再以八宝丹粉药敷之立效：（除了内服药）外面再用八宝丹药粉敷在伤处，立即有效。

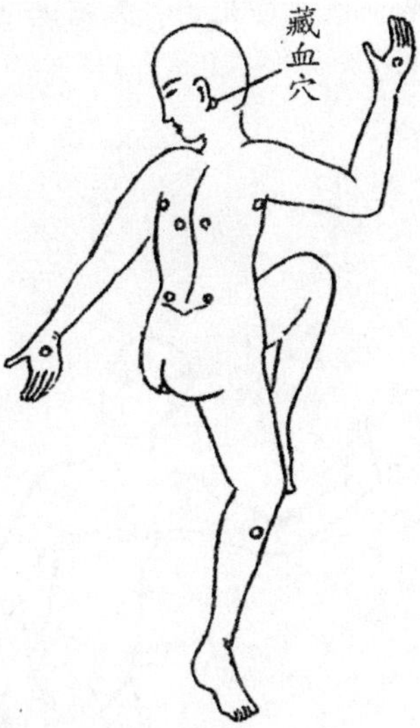

图 16　第十六图

藏血穴，在两耳后，属太阴、太阳经，又属肝胆脉。以神龙探爪化象所伤者，见风则发肿，轻者两目失明，重者四十日亡。（图 16）

调治法用十三味方加生地、当归、川芎各一钱同煎，冲七厘散三分，再服夺命丹三付愈。

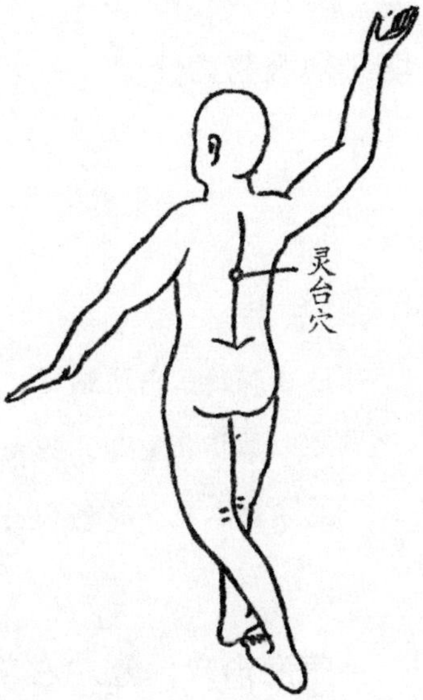

图 17　第十七图

灵台穴谓之人心，在项上大椎下数第六骨节之内。[①] 如受拳足击伤重者，立时而死，无治。[②]（图 17）

大概言之，且人身上之穴窍，凡与心脑接近者，受戟刺[③] 皆危险，不容时间[④]，难治，练此术者，不可不慎之！

注 释

① 灵台穴……骨节之内：灵台穴（也叫后心），在颈上大椎往下数第六骨节里面。

② 如受拳足……无治：如受到拳脚打击伤势重的，能立即死亡，无有治法。

③ 戟刺：刺激。

④ 不容时间：没有抢救、医治的时间。

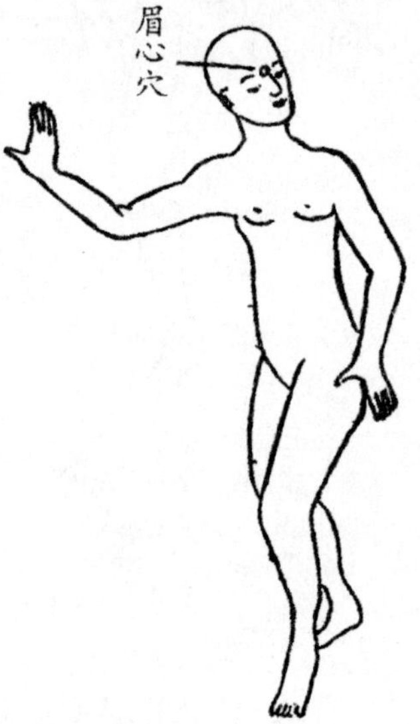

图 18　第十八图

两眉中间，谓之眉心穴，通脑髓[①]。以拳指点重者，头大如斗，[②]三日死。（图 18）

调治法用十三味药方，加川羌活、川芎、荆芥穗、防风各一钱半。不肿不死，受伤必须服药为佳。[③]

注 释

① 通脑髓：内通脑髓。

② 以拳指点重者，头大如斗：用拳头或手指点重的，头会肿大如斗。

③ 不肿不死，受伤必须服药为佳：不肿就死不了，但是受了伤必须服药。

气海俞穴，分左右二穴，在背后肾俞穴下两旁。以拳足击重者，一月而死。（图 19）

调治法用十三味方，加补骨脂一钱半、乌药二钱同煎服，再服紫金丹三付。

两蔽骨中间鸠尾穴，又名黑虎偷心穴。[①] 以手上擦下按，点重者，两目昏花，人事不省。[②]（图 20）

调治法用十三味方，加肉桂一钱、丁香五分同煎，冲七厘散三分，再服夺命丹三付，再用紫金丹三五付。

若不用药治之，一百二十日亡。

又方：金竹叶二钱、柴胡一钱半、钩籐[③]一钱、当归、陈皮、查肉、苡仁、麦冬各五分，沉香、炙草、荆芥、防风各三分，青柿蒂三个，水酒各半同煎，加胆草五分调服。[④]

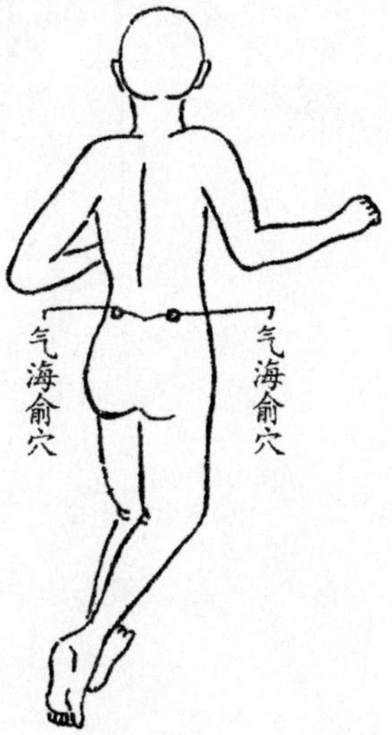

图 19　第十九图

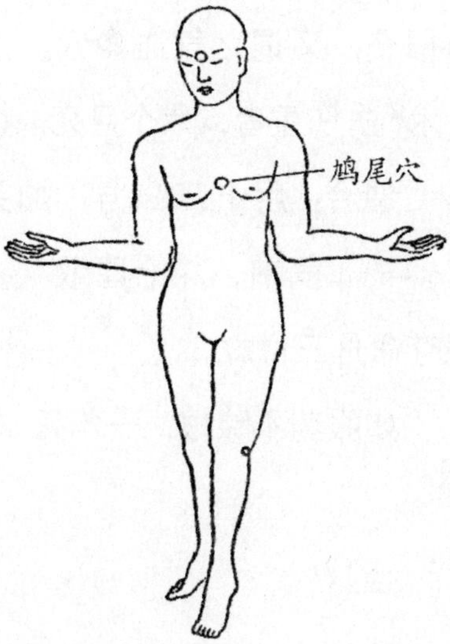

图 20　第二十图

注 释

① 两蔽骨中间鸠尾穴，又名黑虎偷心穴：胸前两块蔽心骨中间的鸠尾穴，

又叫作“黑虎偷心穴”。

② 以手上擦……人事不省：用手在此处往上擦点或往下按点，点重的，两眼昏花，人事不省。

③ 钩籐：同“钩藤”。

④ 水酒各半同煎，加胆草五分调服：用一半水、一半酒共同煎好，再加龙胆草五分调进去喝。

血门商曲穴，在右胁脐处[①]，此处气血相交，又谓之气血囊穴。以象形拳法手术[②]击伤重者，六个月死。（图 21）

调治：用十三味方，加羌活、五加皮各一钱半同煎，冲七厘散一分五厘服，再服夺命丹三付愈。

如服药不除根，一年死。

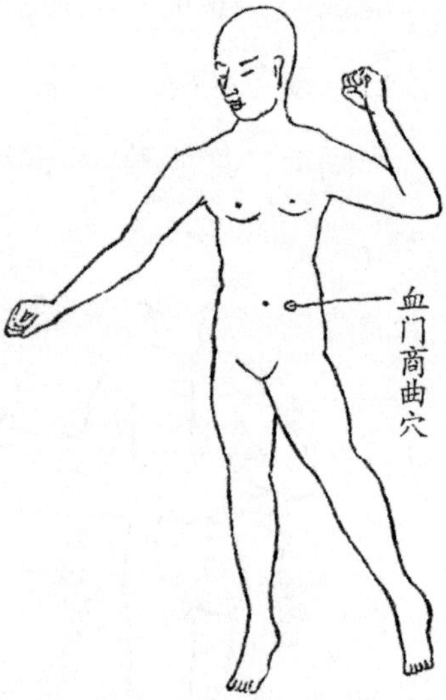

图 21　第二十一图

注 释

① 在右胁脐处：应为左胁靠近肚脐处。

② 手术：手法。

气门商曲穴，又谓之横血海门穴，在右肋脐下二寸，旁开并横。[①]以拳足击伤重者[②]，五个月死。（图 22）

调治法用十三味方，加柴胡、当归各一钱同煎，冲七厘散二分五厘，[3]再服夺命丹二三付。伤重后大小便不通，加车前子、木通各二钱；仍不通，用大葱头捣泥，酒炒贴脐上即通。[4]

如服药不除根，一百二十日死。

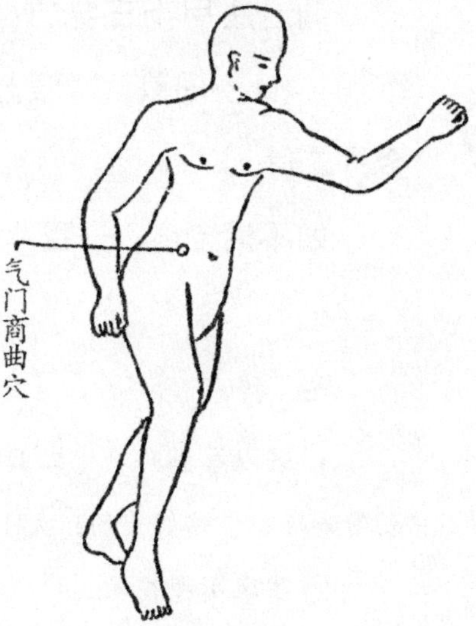

图22　第二十二图

注 释

① 在右肋脐下二寸，旁开并横：原文有误。当为“右肋脐上二寸”，往右肋旁离开二横指处。

② 以拳足击伤重者：用拳脚打伤，伤势重的。

③ 用十三味方……冲七厘散二分五厘：在十三味方基础上加上柴胡、当归各一钱，一起煎好，用煎下的药汤冲服七厘散二分五厘。

④ 伤重后……贴脐上即通：重伤后大小便不通的，除了加柴胡、当归以外，再加车前子、木通各二钱；还不通的，把大葱头捣成泥，酒炒热后贴在肚脐上就通了。

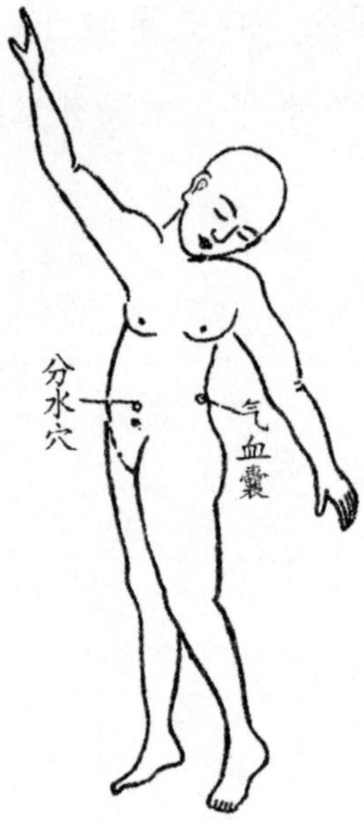

图 23　第二十三图

气血囊穴，在胁梢骨下一分。分水穴，在脐上一寸，属膀胱经，此处是大小肠二气相汇之穴。若以拳指点伤或足击重者，大小二便不通，十四日亡。[1]（图 23）

调治法用十三味方，加蓬术[2]、三棱、生军[3]各一钱五分同煎，冲服七厘散二分五厘，再服紫金丹二付。

如不治全愈，一百八十日亡，不治。

注 释

① 若以拳指……十四日亡：倘若用拳或指点伤，或用脚踢伤，伤势重的，大小便不通，十四日死。

② 蓬术：蓬莪术。

③ 生军：生大黄。

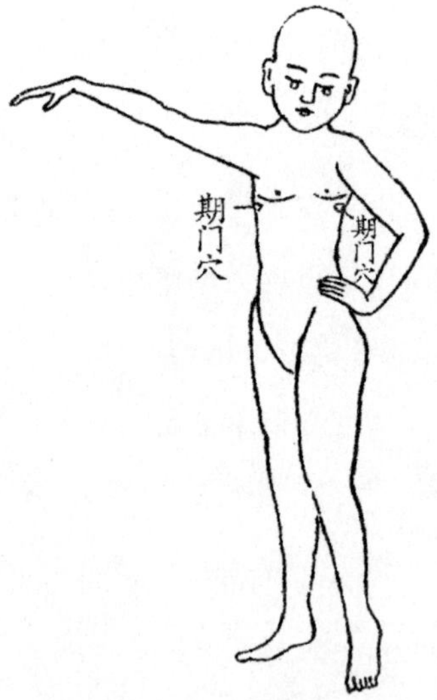

图 24　第二十四图

期门穴[1]，在左乳下一寸六分，旁开一寸，属足厥阴肝经。以飞、云、摇、晃、旋五法手势点伤者，十八日亡。（图 24）

调治法用十三味方，加木香、广皮[2]各一钱半同煎，冲七厘散二分五厘，再服夺命丹三付。

右乳下一寸六分，旁开一寸期门穴[3]，属肺经。以拳指点重者，则成肺病咳嗽之

症，不治[4]，三十日亡。（图 24）

调治法用十三味方，加五灵指[5]一钱五分、蒲黄一钱同煎，冲七厘散二分五厘，再服夺命丹三付。

如不去根，五十日必死。

注 释

① 期门穴：左期门穴。

② 广皮：广陈皮。

③ 期门穴：右期门穴。

④ 不治：不即时医治的话。

⑤ 五灵指：五灵脂。

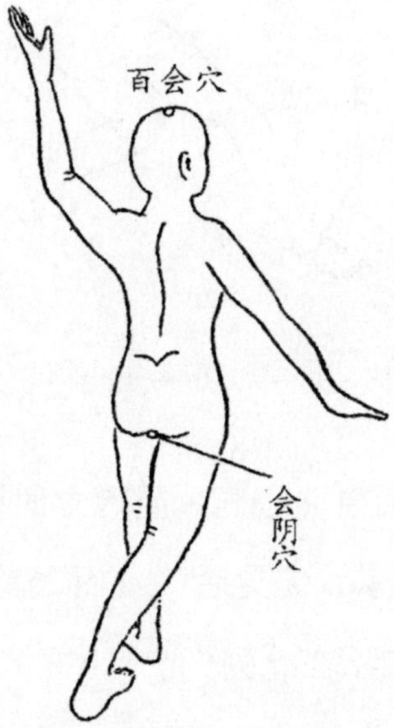

图 25　第二十五图

肛门前，肾囊后，谓之会阴穴，又名下海底穴。此处穴用足膝[1]击之，如点伤[2]，重者当日死，宜急救。（图 25）

调治法用十三味方加大黄、朴硝各一钱同煎服，再服夺命丹二付、紫金丹三付愈。

百会穴，在人头顶之中[3]，又谓之昆仑顶。此穴为人一身百脉会聚之处，如若受伤，轻者头昏头肿；重者，立时死[4]。（图 25）

调治法用川芎、当归各二钱，赤芍、升麻、防风各八分，红花、乳香去油各四分，陈皮五分，甘草二分，共二剂，酒水各一碗，煎半碗，温服。[5]

注 释

① 足膝：脚或膝。

② 如点伤：如果被点伤。

③ 在人头顶之中：在人头顶正中间。

④ 立时死：立即死亡。

⑤ 酒水各一碗……温服：用酒和水各一碗，一起煎成半碗，放温后喝。

鹤口穴，在尾闾骨上两腿骨进处[1]。若以足膝击伤，重者一年死，轻者全失联络。[2]（图26）

调治法用十三味方加牛膝、薏苡仁各一钱同煎服，再服紫金丹三四付，即愈。

涌泉穴，在足心中间。如受伤，重者七个月死。（图26）

调治法用十三味方加木瓜、川牛膝各一钱同煎服。

图26　第二十六图

攒心穴，在两腋窝下，与心脉相通，伤则血迷心窍。重者立时而亡，不容下手医治。[3]轻者先服金砖五分，后服煎药，方见后[4]。（图26）

以上之穴窍谓之死穴，皆可致命，麻木穴不在此列。[5]

注 释

① 鹤口穴，在尾闾骨上两腿骨进处：鹤口穴，在尾闾骨上两腿骨的尽头处。两腿骨进处，应为“两腿骨尽处”。

② 若以足膝……全失联络：如果用脚踢伤或用膝顶伤，重的一年死，轻的联络功能全失。

③ 重者立时而亡，不容下手医治：重的立刻死亡，来不及下手医治。

④ 方见后：处方在后面。

⑤ 以上之穴……不在此列：以上所列的各个穴窍称为死穴，都能致死人命，麻穴不在里面。

按：这是以上数十个死穴的结语。

第二章　诸穴损伤医治法

第一节　诸穴损伤分论

前身部位穴：脑门骨髓打出，不治。两眼相对中间山根[①]及鼻柱打断，不治。两边太阴、太阳穴[②]打重伤者，不治。结喉骨[③]打断，不治。气管打伤，不治。天突下数胸前横骨，一直至人字骨，一寸三分为一节。[④]人字骨上，第一节受伤，一年死，二节二年死，三节伤三年死。心坎即人字骨打伤，立时晕闷，久则必成血症。[⑤]巨阙，又名食賭，在心坎下一寸，打伤成反胃之症。[⑥]气海穴，在脐下一寸五分，为男子生气之源；丹田，在脐下二寸，为男子藏精之室。此二穴为一身之主宰，以拳足击伤，重者丧命，轻者小便不通，如不医治，一月而亡。小肚旁横骨左右子宫穴，若受伤，心迷口噤，目反上视。[⑦]身强五绝之症[⑧]，七日内先服夺命丹数剂。若伤内有瘀血。再服紫金丹，吐出瘀血。次煎剂，服行血药。[⑨]

凡五绝之症，可治者有五：（1）嘴唇不黑，略有微气，可治；

（2）指爪不黑，中心温暖⑩；（3）面无舒纹，鼻无微气；⑪（4）目不绝轮⑫，筋骨软宽⑬；（5）海底不伤，肾子不碎，⑭可治。此谓之五也⑮。

注 释

① 山根：山根穴，位于两眼中间。

② 太阴、太阳穴：即两太阳穴，左为太阳，右为太阴。

③ 结喉骨：喉结。

④ 天突下……为一节：从天突穴往下数胸前的横骨，一直数到人字骨，每一寸三分为一节。

⑤ 心坎……必成血症：心坎穴（即人字骨）打伤，立刻头晕胸闷，时间久了必成为血症。血症，由瘀血造成的病症。

⑥ 巨阙……反胃之症：巨阙穴，又叫作食睹（音 dǔ）穴，在心坎穴往下一寸远处。此处打伤会形成反胃病。

⑦ 小肚旁……目反上视：小肚子旁边，横骨穴左右两边的子宫穴。如果此处受伤，会昏迷，病人牙关紧闭不能张口，眼向上翻。

⑧ 身强五绝之症：身体硬及五绝之症。五绝之症：清代钱秀昌《伤科补要·第四则·至险之证不治论》：“又有五绝之论：一、看两眼白睛上红盘多，则瘀血亦多，若直视无神，不治；二、板撤其指甲，血即还原者，可治，不还原者，不治；三、若脚趾与手指甲俱黑者，死；四、阳物缩者，不治；五、脚底之色蜡黄者，难治。——此五绝之症也。”

⑨ 次煎剂，服行血药：次服煎剂，吃疏通血液的方药。

⑩ 中心温暖：心口有暖气。

⑪ 面无舒纹，鼻无微气：不详。

⑫ 目不绝轮：当指瞳孔没有散大。

⑬ 软宽：柔软宽舒。

⑭ 海底不伤，肾子不碎：海底穴处没有伤着，睾丸没有破裂。

⑮ 此谓之五也：当为“此谓之五可治也”。

前身侧面部位：左乳上脉动处[①]为气门，又曰上血海，属肝，主血气。以拳掌击伤，当时闭气，重者吐血，急救无妨，迟则不治。[②]右乳上动处[③]，为痰血海，又曰上血海，属肺，主气。以手击伤，重者气闭而亡，轻者发嗽，如治不愈，久成肺痨之症。左右乳下软肋处，属气血，左伤失血，右伤发嗽。[④]右乳上下伤[⑤]，先服夺命丹，助以虻虫散；左右伤[⑥]，加柴胡两钱。胸前背后[⑦]加桔梗、青皮两钱；血海伤，久则成痞[⑧]，用朴硝熨法[⑨]，不必用末药[⑩]，宜服核桃酒数剂，外用千槌膏贴三[⑪]，血痞自然消散 。先服夺命丹，后贴千槌膏，再服虻虫散一二分为度。治上部等症，以散血药为主，用夺命丹，一日一服。吃不得红花、当归等丸药。凡少年人，以静养为主，药次之；壮年力强，药宜加重分量；老弱之人，药宜减少。凡服药，切忌猪、羊、鸡、鸭、鹅、蛋、鱼、糟、油煎、麦食等物，戒房事、恼怒，宜要静养，食、药二种并行为佳。伤重者，忌一百二十日。凡去宿血[⑫]，虻虫散；吐血，紫金丹；危急，夺命丹；发表[⑬]，冬瓜散；重伤调理，加减十三味方。牙关紧闭，先用吹鼻散，用鹅管吹入，男左、女右[⑭]；无嚏，再吹两鼻；再无嚏，用灯心草道之口中，有痰吐出为妙。[⑮]如无嚏，是凶症，不可用药。气门受伤，气闭塞不通，口噤身直如死，此症过不得三个时间[⑯]，宜急救，迟则气从下降，大便溲出[⑰]则无治矣。

亦不可慌张耳，须近病人口鼻，探其气有无，如有气者，必是拳足明暗劲击伤，不是神意击伤，须用一人揪其发[18]，伏在背上[19]再用轻敲、挪运之法，使气从中而出复苏[20]。左右受伤晕闷，皆不可服表汗之药。[21]左伤服紫金丹，右服夺命丹。至三日不凉者[22]，可服表汗药，去其风邪。凡治新伤，血未归经者，只可服七厘散，如七日以后，再服行泄之药[23]。

注 释

① 左乳上脉动处：左乳上脉跳动的地方。

② 以拳掌击伤……迟则不治：用拳或掌打伤，当时就会闭住气，不能呼吸，重的会吐血，若立即救治则不妨碍，若救得迟了，就没治了。

③ 右乳上动处：右乳上脉动处。

④ 左伤失血，右伤发嗽：左乳下软肋处受伤，则伤血失血；右乳下软肋处受伤，则会伤气咳嗽。

⑤ 右乳上下伤：右乳的上侧或下侧重要穴位受伤。

⑥ 左右伤：右乳的左侧或右侧穴位受伤。

⑦ 胸前背后：胸前背后有伤。

⑧ 痞：痞块。

⑨ 朴硝熨法：应即服朴硝炒热进行熨烫。

⑩ 末药：末，粉末。

⑪ 贴三：“贴三”当为“贴之”。

⑫ 宿血：陈旧的瘀血。

⑬ 发表：发散毒邪。

⑭ 男左、女右：男吹左鼻孔，女吹右鼻孔。

⑮ 无嚏……出为妙：如果没有喷嚏，再同时吹两个鼻孔；如果还不打喷嚏，就用灯心草伸到嘴里喉咙处，要能吐出痰来最好。

⑯ 三个时间：当指三个时辰。

⑰ 大便洩出：即大便失禁。“洩”同“泄”。

⑱ 揪其发：揪住病人的头发。

⑲ 伏在背上：趴在背上。

⑳ 使气从中出复苏：使病人出上气来（即恢复正常呼吸）而复苏。

㉑ 左右受伤晕闷，皆不可服表汗之药：无论是身左侧还是右侧穴位受伤，导致头晕心闷，都不可以吃解表发汗的药。

㉒ 至三日不凉者：到第三天还不退热的。

㉓ 行泄之药：疏通气血和肠胃的药。

背身部位穴：头上脑后骨打碎，与脑前症同，此乃绝症，不治。天柱骨即脊柱骨打断，宜用手术能治。两肾穴，左为肾门、右为命门，在背脊左右，与脐平对之处，如受伤，发笑，或哭，不治。长强穴，即督脉阳气上升之路，受伤重者，当日屎出[①]，后成脾泄之症[②]。海底穴，又谓之会阴穴，在谷道前、外肾后，两可中间，[③]以足膝击伤，重者丧命，轻者血气上冲，头昏耳鸣，心内闷绝。先服茯[④]心丸止痛，伤虽在下，其痛在上，可服活血汤方。如便闭[⑤]，急用灸脐法。治外肾伤，与上同治；外肾[⑥]受重伤，恐其血气上升冲心，急用一人靠其背后，再将两手从受伤者小肚两旁慢慢向下推摩，先用喜子草、盐酸草煎汤，待冷洗之。尾闾伤，先服车前子七钱，米汤送服；或先用熨运法，表汗药。腰脊伤，用麸皮熨运腰痛之处。[⑦]骨折伤，此指全身骨断而言，先贴鼠菉膏壮骨之药[8]，上用运法；断骨如不能接，故意用劫药[9]，如南星、半夏、草乌等毒药，不得过三时辰，药毒自解，不必用解药。治伤四种法：运、熏、灸、倒。最轻，用冬瓜皮散，次用运法。内有宿血，若在皮肉膜外，面皮浮肿，宜先服冬瓜皮散调治，以药为先，然后用熏法。如有宿血伤，可熏；凡新伤，血未归经，不可熏洗，恐其血攻心窍。如久症、重伤，可用灸治法，能消久瘀宿血。凡骨节酸疼，行走不能者，定有瘀血、风湿，如不治，后恐发毒，先服冬瓜皮散，次用灸法。再重伤，人噤口不语，饮药不下，先灌硫射散，然后用倒法，吐其恶物；次服虻虫散一二剂。法用倒诀：将人用绵被挽住，以壮年人扯其四角，着病人[10]左右滚翻十数次，使其吐出恶物方可治，如不吐出，不能活矣！亦有仙一味丹，名十八返魂丸，服诸般毒药[11]，灌下五分即解，重者一钱，即吐毒物，神效。

注释

① 当日屎出：此为大便失禁。

② 脾泄之症：即拉肚子。

③ 在谷道前、外肾后，两可中间：在肛门之前、肾囊之后，两者中间。

④ 获：原文“获”字误，当为“护”。

⑤ 便闭：大小便不通。

⑥ 外肾：肾囊。

⑦ 腰脊伤，用麸皮熨运腰痛之处：腰脊受伤，用麸皮炒热推熨腰痛处。

⑧ 先贴鼠菉膏壮骨之药：先贴鼠菉膏这种壮骨的药。

⑨ 劫药：有速效但副作用大的猛药，往往有毒。

⑩ 着病人：将病人。着，音 zhuó，使，令。

⑪ 服诸般毒药：由各种毒药组成。

第二节 调治诸穴伤要论

(1) 百会穴打伤，脑髓不破，只有疼痛、头晕，不能行路者，照方医治，神效。方列下：

川芎、当归各二钱，赤芍、升麻、防风各八分，红花、乳香去油各四分，陈皮五分，甘草二分，共二剂，酒水各一碗，煎半碗，①温服。

(2) 太阴、太阳二穴受伤，虽不入内②，终有后患，瘀血行于两旁，难以救治，七日内须进活血丹为妙③。

当归一钱五分，红花、黄芪、白芷、升麻、橘红各五分，荆芥、肉桂、川芎各八分，甘草二分，药引童便，陈酒煎服。④

(3) 洪堂二穴，又谓藏血穴，受伤，可用活血舒筋汤为主。大黄八分，毛竹节灰、松挣炭各五分，金砖一钱，加陈酒送服，此名为五虎散。后食煎药：灵仙、桂枝、川芎、川断、桃仁各一钱，陈皮八分，甘草三分，当归一钱五分，水煎，酒冲，温服。

(4) 气、食二管⑤若受伤，不出鼻血，不用调治，七日自愈。若伤重可服金砖五分，川芎二钱，煎汤送下即愈，外伤贴膏药。

(5) 肩窝觔池脉二穴若受重伤，难治，恐筋缩不能复直，可用活血膏一张贴之。内服汤药，方下列：苏木心、木耳炭、毛竹节炭、归身各钱五分⑥，升麻、川芎各一钱，水煎，酒引⑦服。

(6) 命脉穴，谓之上血海，受伤，本通心窍，而能走痛，七日内可治。宜服夺命丹，再服汤药：归尾、紫草、苏木、红花各一钱五分，肉桂、陈皮、只壳各一钱，石斛、甘草各五分，童便制陈酒煎服，三剂。

(7) 脉宗穴，谓上血海，若受伤，转手难以调治，是二七之症，[8]三日内可用散血安魂汤为妙。归尾、桃仁、川断、寄奴、红花各一钱，只壳一钱二分，甘草二分，骨碎补、藕节一钱五分，山羊血三分，酒水各半煎好，山羊血冲服。[9]

(8) 痰凸穴，谓鸠尾，受伤，其气必急，可用宽解，活血利气汤为主。当归、川芎、红花、大腹皮、骨碎补各一钱，荆芥、杏仁、紫草、苏叶各八分，木耳炭一钱五分，灯心一丸，酒水各半煎好，木耳炭冲服[10]。

(9) 玄机一穴，谓下血海，受伤，恐血冲心，速饮五虎散[11]，后服煎药：胡猕竹根、扁根锦酱树根、连根狮子草、槿添树根去心、天翘麦根去皮各五分，陈酒煎服。若翻吐，加姜汁一匙冲，温服。[12]忌油煎，生冷食，七天以外不防。[13]

(10) 肺苗一穴，谓华盖，若受伤，胸部刺痛，三日身上微热，不时发嗽，过三七日不治。[14]方：归尾一钱三分，红花、陈皮、杏仁各八分，白芥子一钱，没药四分去油，独活、石斛、苏叶、甘草各五分，加灯心一丸，陈酒煎服。

(11) 腕心谓胃口穴若受伤，须要泻出[15]，不可内消。方：归尾、陈皮、川断、白芥子各一钱，大黄三钱，只壳八分，红花、羌活各五分，黑丑一钱五分，大甘草四分，小蓟一钱五分，加灯心一丸，酒水煎服[16]。

（12）巨阙一穴，谓之锁心，通心窍，[17]若伤重，七日可服山羊血、五虎散，后服汤药。方：桃仁七粒，红花八分，白芥子一钱，陈皮、只壳、羌活、归尾各一钱二分，肉桂一钱五分，苏木一钱五分，赤芍五分，甘草二分，酒水各半煎服。

（13）食结穴，谓建里，若受伤，则血裹食而不能消，腹渐渐能大，周年之症。[18]方：大黄、谷芽各一钱五分，莪术、陈皮、川芎各一钱，桃仁、查肉、石斛各一钱，当归五分，芥子八分，甘草二分半，虎骨醋制一钱，童便药引，陈酒煎服。[19]

（14）血池穴谓之心包络受伤，重者，当日死；轻者十八日亡，急宜调治。方：牛膝一钱五分，归尾一钱五分，肉桂一钱三分，川芎一钱三分，银花一钱，陈皮一钱，石斛一钱，虎骨一钱五分，川断一钱五分，碎补一钱五分，酒水各半煎，十剂[20]，每日早晚一付。

（15）脚面脉穴若受伤，不破与涌泉穴同方。如不破皮，方列后：强觔草四分，杨梅树皮五分，松丝毛六钱，活血丹二钱，活血丹俗名红鸡子草，即茜草，共陈酒糟[21]，捣烂敷之。若破伤觔[22]：大黄、山芋各一钱五分，研末敷伤处，次用[23]白玉膏贴之神效：白占、黄占各一两，儿茶、乳香去油、没药去油各三钱，银硃三钱，生猪油二两，熬去渣，加葱白，共煎为灰色形油，滴水成珠[24]，入白占化过，收入碗内，投入药和匀，存性，三日可用。[25]

（16）海底穴，为一身阴阳交会处，以足膝击伤，大小便不通，饱肚发胀，难医之症。方：地鳖五十个，参三钱，酒煎服，渣捣烂敷伤处。大忌房事，如不忌，难治。方：威灵仙、归尾、杜仲各一钱三分，川芎、桑皮、川牛膝、大腹皮、刘寄奴各一钱，红花五分，甘草三分，童便炙，水酒煎，冲服五剂。

（17）锁腰二穴，谓肾腰，若受伤，重者，一时发笑，难医治，不过一日即亡；轻者，三日可治[26]。方：杜仲、虎骨、狗脊、毛竹节灰各一钱五分，川芎、归尾、赤芍、桑皮、古钱各一钱，川断一钱三分，乳香一钱五分去油，核桃仁一两，酒水各半，童便炙法，煎好，核桃仁冲服两剂。

（18）肝经穴若受伤，眼珠发红色而失血，六七之期。[27]医法，方：藕节一钱五分，肉桂、乌药、川续断、白芥子、乳香去油、当归各一钱，刘寄奴八分，木耳炭五分，甘草二分，水煎，食三剂。

（19）肺经一穴，若受伤，发喘嗽，难医之症。如治不愈，久成肺痨之症，方见后。

（20）鹤口穴若受伤，重者一年死。调治：十三味方，加牛膝、薏苡仁各一钱同煎服，再服紫金丹三四付。

注释

①酒水各一碗，煎半碗：酒和水各一碗共煎，煎成半碗。

②虽不入内：虽然没有伤到里面。

③七日内须进活血丹为妙：在七天之内，需要天天吃活血丹为好。

④药引童便，陈酒煎服：以童小便为药引子，用陈酒煎服。

⑤气、食二管：气管与食管。

⑥各钱五分：各一钱五分。

⑦酒引：以酒为药引。

⑧ 转手难以调治，是二七之症：一转手之间就不好治了，是二七之症。转手，犹如说“反手”，极言时间之短。二七之症，过不了十四天的凶症或指十四天才能治好，究为何意，不详。

⑨ 酒水各半煎好，山羊血冲服：先将山羊血以上的各药用一半酒、一半水煎好，再将山羊血（三分）冲进去喝。

⑩ 木耳炭冲服：方中的木耳炭在其余各药煎好后冲入。

⑪ 五虎散：方见第（3）条。

⑫ 若翻吐……温服：如果恶心呕吐，就在煎好的药汤里冲入一匙生姜汁，温服。

⑬ 防：原文“防”字当作“妨”。

⑭ 肺苗一穴……过三七日不治：如果是肺苗一穴（叫作“华盖穴”）的地方受伤，胸部针扎样痛，三天内身上低热，不定时咳嗽，超过21天就治不好了。三七，指三个七天。

⑮ 须要泻出：需要拉出来。

⑯ 酒水煎服：酒水各半煎服。

⑰ 巨阙一穴，谓之锁心，通心窍：巨阙一穴叫作“锁心穴”，内通心窍。

⑱ 食结穴……周年之症：食结穴也叫作“建里穴”，此处若受伤，则吃进去的食物被瘀血裹住不能消化，腹部渐渐膨大，是一年才能好的病。

⑲ 童便药引，陈酒煎服：用陈酒煎好，煎好后兑入适量童小便作为药引子。

⑳ 十剂：即十付。

㉑ 共陈酒糟：与陈旧的酒糟（一起）。

㉒ 若破伤舫：如果皮破伤筋。

㉓ 次用：再接着用。

㉔ 滴水成珠：滴水成珠时，即当熬成的油状物滴入凉水中能成为小圆

珠时。

㉕ 入白占化过……三日可用：（这时）先将白占单独熔化开，收到碗里，把由其余各药熬成的滴水成珠的药油加入碗中与白占一起搅匀，密封保持药性，三天后可以使用。

㉖ 三日可治：三日内可治。

㉗ 肝经穴……六七之期：肝经穴要是受伤，眼珠发红，眼出血，六个七天才能好。

第三章　秘传伤科奇方

目　录[1]

注释

① 目录：此药方目录遵从原书分类形式。实际由正文可见，其药方并未按“汤药类”“丹药类”“丸药类”“敷药类”“膏药类”严格分类，而是混杂在其中。部分药方名称缺失、缺字的，依正文名称改正。

第一节　汤药类

总煎十三味方　通治跌打损伤

川芎二钱，归尾三钱，玄胡二钱，木香二钱，青皮二钱，乌药二钱，桃仁二钱，远志二钱，三棱一钱五分，蓬术二钱，碎补二钱，赤芍二钱，苏木二钱；如大便不通加生军二钱，小便不通加车前子三钱，胃口不开加厚朴二钱，砂仁二钱，水二碗，煎半碗，陈酒冲服。[①]

注释

① 水二碗……陈酒冲服：用水两碗，煎成半碗，兑入适量陈酒服下。

加减十三味方

红志去油一钱五分，寄奴三钱，肉桂一钱五分，广皮二钱，香附二钱，杜仲二钱，当归三钱，玄胡二钱，砂仁二钱，五加皮三钱，五灵脂二钱，生蒲黄二钱，枳壳一钱五分，水煎，酒冲服。

第二节　丹药类

飞龙夺命丹　凡用胎骨以猴骨化之[①]

川芎三钱，酒炒，五灵脂三钱，醋炒，前胡三钱，炒，青皮三钱，醋炒，五加皮一两，童便制，月石一两，川贝四钱，枳壳小麦皮炒，三钱，韭子三钱，炒，蒲黄三钱，生熟各半，元胡四钱，醋炒，自然铜八钱，醋煅，三棱四钱，醋炒，飞朱砂三钱，桑寄生三钱，炒，沉香三钱，血竭八钱，秦艽三钱，酒炒，桃仁五钱，去皮，蓬术五钱，羌活三钱，炒，地鳖八钱，酒洗，木香六钱，生晒，广皮四钱，炒，乌药三钱，炒，当归六钱，酒炙，破故纸四钱，盐水制，制胎骨五钱，炒葛根三钱，麝香一钱五分，杜仲四钱，盐炒，橘红三钱，肉桂三钱，去皮，砂仁二钱，去壳，土狗三钱，去肠，醋炙，苏木四钱，共三十六味。

各制好，再加牛乳一碗拌和，焙燥，贮瓶内。[②]如重伤，每服三钱，轻者一钱五分，陈酒送下。

注 释

① 凡用胎骨以猴骨化之：凡是用到胎骨的地方，可以用猴骨代替。化，应为“代”。

② 各制好……贮瓶内：将以上三十六味药分别按说明炮制好，再加上牛奶一碗拌好，焙干，贮藏在瓷瓶内。

加减十四味方

菟丝子一钱，肉桂一钱，刘寄奴一钱，蒲黄一钱，杜仲炭一钱，元胡索一钱，青皮一钱，只壳[①]一钱，香附子一钱，五灵脂一钱，归尾一钱，缩砂仁一钱，五加皮一钱半，广皮二钱，酒水各半同煎服。

注 释

① 只壳：即“枳壳”。

紫金丹方

乳香、没药去油，五钱，[1]木耳炭六钱，大黄四钱，地鳖六钱，火酒醉，用瓦炙干，去头足，血竭五分，麝香三分，碎补五钱，乌药六钱，归尾五钱，酒浸，麻皮四钱，炒，自然铜五钱，醋炙七次，盆硝一两，共研细末，每服三分，陈酒送下。如吐血，一分；妇女血崩，一分五厘，童便和酒送下；骨折，八分，酒下。[2]看病轻重服为止，每日一服，不可多服；[3]如妇人经水不通，八厘，加麝七厘，酒调服，即通[4]。

注释

① 乳香、没药去油，五钱：乳香（去油）、没药（去油）各五钱。

② 如吐血……酒下：如果是吐血，每次吃一个。如果是妇女血崩，每次一分五厘。以上两种情况，用童小便与酒和起来一起送服。如果是骨折，每次吃八个，用酒送服。

③ 看病轻重服为止……不可多服：以根据病的轻重确定药量为准，每日吃一次，不可多次吃。

④ 如妇人……即通：如果是妇女月经不通，每次八厘，另加麝香七厘，用酒调服就通了。

夺命接骨丹

损伤，略有微气，内有三四穴绝命处不伤，用之即效。[1]地鳖五钱，制，自然铜二钱，煅，乳香、没药一钱五分，去油，血竭二钱五分，透明，古钱一钱五分，醋炙七次，红花二钱，碎补二钱，去毛，童便炙，麻皮根二钱，炒，归尾二钱，酒浸，蜜二两。右药[2]共研细末，每服一分二厘，火酒送下。

注 释

① 损伤……用之即效：受重伤后，病人存微弱呼吸，内部三四处绝命穴没伤着，用了就有效。

② 右药：即上文药方。因原书右边是上文。

末药方

大黄三钱，地榆二钱，乳香、没药各二钱，去油，龙骨五钱，血竭一两，射[①]香二钱，象皮二钱，阿魏一两，地鳖一两，茧绵灰一钱，胎发灰二个，脐带二条，牙齿四五个，酒炙七次，胎骨一两，狗胎二个，青归三钱，牛膝三钱，九死还魂草四钱，防风三钱，肉桂三钱，仙桥五分，鹤虱草三钱，猢猴竹根三钱，落得打三钱，檀香四两，降香五钱，速香三钱，沉香五钱。

共研细末，临用时调药内。[②]

注 释

① 射：同“麝”。

② 共研细末，临用时调药内，起研成细粉末，临用时调在当时熬好的药汤内。

又方

地鳖十个，酒炙，白地龙十条，即白项曲蟮，洗干，自然铜二钱，醋煅，骨碎补三钱，去毛，乳香、没药一钱，去油，共研细末，每服一钱，酒送下。

加减十三味又方

赤芍、乌药、枳壳、青皮、木香、香附、桃仁、玄胡、三棱、蓬术、寄奴、砂仁、苏木，危急者去寄奴，加葱白；如吐血，加荆芥三钱，炒焦，藕节一两，陈酒煎服。

又方

广皮一钱五分，青皮一钱，五灵脂三钱，生蒲黄二钱，赤芍二钱，归尾三钱，桃仁二钱，香附一钱，五加皮二钱，红花一钱五分，枳壳二钱，乌药二钱，砂仁二钱，元胡一钱五分，陈酒煎服。

通治发散方

凡损伤，先须发散瘀血，不遇重症，宜通用一二剂。[①]川芎二钱，归尾二钱五分，防风二钱，羌活二钱，荆芥二钱五分，泽兰二钱五分，枳壳二钱，独活二钱，猴姜二钱五分，加天葱豆三枝，水煎酒冲[②]，神效。

注释

①凡损伤……宜通用一二剂：凡是受到损伤，先要用这个“通治发散方”发散瘀血，只要不是遇到重症，应该先用上一二剂。

②水煎酒冲：用水煎好，再冲入适量的酒。

发散上部方

防风二钱，白芷一钱，红木香一钱，川芎二钱，归尾二钱，赤芍二钱，陈皮二钱，羌活二钱，法夏[①]二钱，独活一钱五分，碎补[②]一钱五分，甘草一钱，生姜三片，水煎，酒冲服。

注释

① 法夏：法半夏。

② 碎补：骨碎补。

发散中部方

杜仲、川断、贝母、桃仁、寄奴、蔓荆子各二钱，当归、赤芍、自然铜（醋煅）各三钱，肉桂八分，茜草一钱，细辛一钱，水煎，酒冲姜汁服。[①]

注释

① 水煎，酒冲姜汁服：用水煎好，把用酒冲好的姜汁兑入服用。

发散下部方

牛膝、木瓜、独活、羌活各三钱，归尾二钱，川芎二钱，川断、厚朴、灵仙、赤芍、银花各二钱五分，甘节一钱。水煎，酒冲姜汁服。

上中下三处受伤加减发散方

凡人上、中、下三处受伤，须用发散药一二剂为要。气急有痰加制半夏二钱，风痰加制南星二钱，心惊加胆星一钱五分，桂心八分，香附一钱五分，同煎服，看症加减[①]，通经引药列后[②]：

头腰痛者，加川芎、藁本三钱；手肩[③]，用桂枝、柴胡三钱；胸胃，加吴茱萸、草头蔻[④]三钱；肚腹，加白芍，厚朴二钱；心胸疼者，加肉桂二钱、陈皮三钱，去白；腰肾，加核桃肉、破故纸、川断、杜仲；左胁气刺痛，枳壳、青皮三钱；右胁血瘀痛，桃仁二钱；破血，元胡索二钱；调诸血，当归二钱；活血，川芎二钱；补血，川芎；筋脉痛，甘草二钱；周身骨节痛，川羌活三钱；腹肠中窄痛，苍术、广木香；调诸胃气[⑤]，广木香，男加减木香为君，女加减香附子为君，左用青皮、香附、蔓荆子二钱，右用柴胡二钱、赤芍、当归三钱；如发潮热，重用柴胡为君；出虚汗，蜜制黄芪为君；人参补元气，脾胃寒者更妙；白术消痰化气；肌皮热，黄芩三钱；去胃痰，制半夏；消风痰，制南星；上焦湿肿，防风、龙胆草二钱；中焦湿热，黄连；下焦湿热，黄柏；恼渴者[⑥]，加白茯苓、葛根；虚嗽者，五味子；嗽无痰，杏仁、防风、生姜；嗽有痰，制半夏、枳壳、防风各二钱。治泄泻，白术、白芍；痰喘，阿胶、天门冬、麦门冬；水泻，白术、茯苓、泽泻；痢疾，当归、白芍；上部见血，防风；中部见血，黄连；下部见血，地榆；眼暴发，当归、防风、黄连；目昏暗，熟地、当归、细辛。破伤风，防风为君，白术、甘草为佐；伤寒，甘草为君，防风、白术为佐；诸风痛，明天麻、防风为君；诸疮毒，黄柏、知母为君，连翘、黄芩为佐；小便不利，黄柏、知母、茯苓、泽泻为佐。以上诸药，悉[⑦]按经络部位主治。凡损伤人略代内症，服药不效，临症时，须将前项何病，何药治之，无不立见奇效，看病之要诀也。[⑧]

注释

① 看症加减：根据症状的轻重加减。

② 通经引药列后：通经的引药列在后面。

③ 手肩：手肩痛者。

④ 草头蔻：应为“草豆蔻”。

⑤ 调诸胃气：调治各种胃气病。

⑥ 恼渴者：因口干口渴而烦恼的。

⑦ 悉：全部。

⑧ 凡损伤人……看病之要诀也：凡是伤者略微带有内症，先吃治外伤的药不见效，则在临症时，须要根据前面所讲的有什么病加什么药，将相应的药加入到治外伤的药中，没有不立见奇效的，这是看病的要诀。

受伤发癫症方

乌药、天竺黄一钱，砂仁、麻黄、陈皮、寄奴、肉桂、紫丁香各五分，胆星、朱砂六分，川羌活、升麻、金箔各一钱五分，水煎服，神效。

受伤恍惚[①]急治方

人参二钱，辰砂八分，远志一钱五分，金箔一钱，水煎服。胃寒者加厚朴、桂心、橘红二钱；热者[②]加条芩二钱，嫩柴胡一钱，前胡一钱五分；身发冷加人参二钱，白芍三钱，麻黄一钱五分，郁金一钱五分；热不凉[③]加连翘二钱，三棱、薄花各一钱五分，大腹皮二钱；小便自出[④]加紫丁香一钱五分，荔枝核七分；小便不出，车前子；发寒噤[⑤]加防风二钱，细辛一钱，制南星八分，旋覆花、白菊花一钱，荆芥穗一钱五分，煎服。

受伤眩晕，言语恍惚，是脏腑受损，急治方：

辰砂八分，琥珀一钱，广木香一钱五分，川栋子一钱五分，白茯苓二钱，杜仲二钱，枸杞子二钱，当归一钱五分。如翻肚有痰[6]者制半夏一钱五分，赤丁香一钱，酒炒砂仁二钱，制附子二钱，旋覆花一钱五分；如呕吐不止，饮食不安，紫丁香、草果、制南星、法夏、砂仁、赤檀香、生姜汁各一钱五分，煎服三次。不效，必是肠断，七日内死。

注释

① 恍惚：神志不清。

② 热者：胃热者。

③ 热不凉：身热不凉，即发热不退。

④ 小便自出：小便失禁。

⑤ 发寒噤：打寒战。

⑥ 翻肚有痰：恶心吐痰。

破伤风方

防风三钱，羌活三钱，荆芥三钱，制南星一钱，根生地二钱，白芷二钱，归尾三钱，红花二钱，寄奴二钱五分，明天麻一钱五分，煨，煎服，神效。

大成汤

重伤，昏晕不醒，二便不通，定防[1]脏腑瘀血，宜服此方。陈皮一钱，当归二钱，苏木二钱，木通一钱五分，红花二钱，厚朴一钱五分，枳壳一钱五分，大黄二钱，朴硝一钱，甘草一钱五分，水煎，加蜜三匙，冲服，效[2]。

注释

① 定防：定要防止。

② 效：有效。

式成汤

陈皮一钱，法夏二钱，茯苓三钱，枳壳二钱，红花、当归、川芎、白芷各一钱，槟榔八分，黄芪二钱，桔梗、青皮、乌药一钱五分，枳实、黄芩六分，苏木一钱，加紫苏三钱，姜三片，红枣五枚，同煎服。

上三穴头、肩、胸，凡上中下三处受伤方（看明用药更妙）

川芎、当归、红花各二钱，野地黄四钱，木耳炭二钱，麦麻二钱，炒，研末，酒吞下，立效；[1]狗脊灰五钱，大腹皮三钱，车前子二钱，木通二钱，建杏仁五钱，砂仁三钱，童便制，研末，酒吞下，神效。

注释

① 研末，酒吞下，立效：研成粉末，用酒送下，立即产生效果。

下三穴臀、腿、足受伤方

木瓜、米仁、赤芍、红花、寄奴各二钱，川牛膝三钱，研末，酒冲服。

内伤汤方

赤芍、乳香、没药、藿香、郁金、防风各三钱，加葱白三根，煎服。

内外肚伤方

红花、寄奴、香附、白芷、桃仁各三钱，葱叶、生姜五钱，同煎服。

跌打反肚方

当归六钱，枳壳、桃仁去衣、锦纹各三钱，赤芍五钱，红花一钱五分，韭子二钱，去壳，生蒲黄二钱，酒、水各一碗，煎好冲蒲黄服，立效。

骨节断方

白地龙五条，酒洗去肠泥，焙干，川乌去皮、松节、没药、乳香三钱，去油，陈皮煎服[①]。

注释

① 陈皮煎服：加上陈皮煎服。

腰痛方

蜜炙黄芪二钱，盐水炒杜仲三钱，破故纸一钱五分，核桃肉二钱，陈酒煎服三帖，效。[①]如不饮酒，将酒炙各药，以水煎服，亦可。[②]

注 释

① 陈酒煎服三帖，效：用陈酒煎服三付，有效。

② 如不饮酒……亦可：如果病人不能喝酒，先将各药用酒炙过，再用水煎服，也可以。酒炙，先用酒拌匀焖透，再小火炒干。

腰痛又方

杜仲三钱，盐水炒，破故纸三钱，炒，凤凰衣三钱，研末。猪腰一副，不可落水，忌铁器，用竹刀破之，将药末入腰内，用线扎紧，水煎，配酒吃。[①]

注 释

① 猪腰一副……配酒吃：猪腰子（即猪肾）一副（即一对），不可沾上水，忌铁刀、铁锅、铁盆等铁器，用竹刀破开，将药末放入腰子里面，用线捆紧，用水煎好，一边喝酒一边吃掉。

瓜皮散（兼治腰痛闪挫之症）

东瓜皮一两，小青皮一两，阴干研末，每剂盐调服二钱。

又方

广木香二钱，麝香三分，研末，闪左吹右鼻，闪右吹左鼻。[①]

注 释

① 闪左吹右鼻，闪右吹左鼻：闪了左边腰，吹右鼻孔，反之；吹左鼻孔。

跌打闪伤[①]

天乔麦根三两，老姜半斤，陈酒二碗煎，酒渣敷痛处，即散。[②]

注 释

① 跌打闪伤：跌伤或打伤或内伤。

② 陈酒二碗煎……即散：用陈酒二碗煎好，酒汤（即药汤）内服，酒渣（即药渣）外敷到痛处，即散开好了。

惊风方

酒法制南星、防风，指甲灰冲药服，神效。

边成十三味方（调理）

明天麻二钱，小麦粉包裹，外以湿纸包煨[①]，川芎二两，炒，研末，蜜炼丸，如圆眼大[②]。每服一丸，热酒送下。如不饮酒，汤送亦可。

注 释

① 小麦粉包裹，外以湿纸包煨：（将明天麻二钱）用和好的小麦面裹严，外面再用湿草纸包住，放在热炭灰中煨熟。

② 如圆眼大：如龙眼（即桂圆）大。

行药方（即劈药，专治瘀滞）

巴霜一钱，滑石一钱，大黄二钱研末，用端午粽角尖为丸，如绿豆大，每服七丸，酒送下。

损伤不破皮方

当归三钱，羌活二钱，独活一钱五分，白芷一钱，碎补二钱，地鳖三钱，桃仁二钱，地骨皮二钱，生甘草二钱，红花四钱，陈酒冲服。

跌打皮肉破方

五加皮五钱，土贝一钱五分，红花二钱，当归三钱，生地五钱，独活二钱，甘草二钱；头上[①]加川芎三钱；胸胁加乳香、没药二钱；脾肚加赤芍、白术二钱；手膀加桂枝二钱；足腿加薏苡仁、木瓜二钱，水煎好，酒冲服。

注释

① 头上：头上皮肉破。以下“胸胁”“脾肚”“手膀”“足腿”同。

全身受伤洗治方

碎补、川羌活、地骨皮、金银花、吴茱萸、桑白皮、甘木瓜、秦艽、川乌、苏木各一两，苗松二两，黄皮一两半，共药十二味，陈酒三升煎洗。

跌打伤煎药方（重伤三四剂足矣）

川芎、独活、赤芍、天麻、当归、白芷、木香、姜黄、防风、羌活、紫苏、苍术、碎补、五加皮、生草[①]。胸腹不宽，加红花；上部，升麻、泽泻；中部用杜仲；下部用川牛膝、木瓜；左右胁，柴胡；胸前、背后，桔梗二钱，青皮一钱，轻伤八分，酒、水各半煎服，神效。

注释

① 生草：生甘草。

跌打方

当归三钱，防风五分，乳香一钱，红花八分，生地二钱，丹参二钱，麦冬一钱，桔梗一钱，川断一钱五分，北沙参八分，地骨皮一钱，生草五分，加灯心一丸，酒服。[①]

注释

① 加灯心一丸，酒服：煎好后加灯心草丸一丸，兑上适量酒吃下。

又方

乳香一钱五分，灵仙二钱，桃仁一钱，没药一钱五分，川断一钱五分，红花八分，羌活二钱，砂仁一钱，归尾二钱，木香一钱，丹参一钱五分，酒煎服。

又方

独活二钱，川断一钱五分，没药一钱五分，防风一钱五分，红花八分，丹参一钱五分，归尾二钱，牛膝二钱，乌药、赤芍、乳香各一钱五分，灵仙一钱，酒煎服，忌葱、豆、醋，又加荔子花冲服，若破伤亦忌。

重伤方

红花一钱，防风二钱，碎补、生地各三钱，川芎、连翘各二钱，当归三钱，灵仙二钱，乳香五分，桃仁一钱，五加皮、没药各一钱，川乌三分，加蜂蜜、核桃，酒煎服。此药口吐白痰，解之用冷浓茶汁。[①]

注 释

① 此药口吐白痰，解之用冷浓茶汁：此药副作用为口吐白痰，解法是喝冷浓茶水。

重伤方二

乳香、砂仁各一钱，没药一钱五分，木香、桃仁各一钱，羌活二钱，红花八分，灵仙二钱，归尾、川断各二钱，丹参一钱五分，陈酒煎服。

又方

独活三钱，乳香二钱五分，去油，没药去油、防风、归尾、牛膝、赤芍、丹参、川断、灵仙各二钱，乌药一钱五分，红花一钱，加荔枝花先冲，酒服。[①]

注释

① 加荔枝花先冲，酒服：药煎好后，先加入适量荔枝花冲开，再兑入适量酒服下。

跌打损伤方

有草药名七里香，茎[1]二钱，头[2]一钱五分，陈酒吞服，叶可敷[3]。

注释

① 茎：草茎。

② 头：草头。

③ 叶可敷：草的叶子可用来外敷伤处。

无名肿毒跌打损伤吐血方（服此方神效）

金银花根，捣碎取汁，合口加童便，热酒冲服，渣敷痛处，即愈。

胡桃散兼酒方

血海穴受伤，久则成痞，核桃一岁一个[1]，捶碎，陈酒浸，每个加朴硝二分，入锅内煎，酒干为度，吃核桃肉，立效。

注释

① 核桃一岁一个：此句疑为“核桃一日一个”。

洗疮方

葱头、花根，煎汤洗，加酒更妙。

三乌一点黄药方

乌药、泽泻、乌米、饭根即老鸦米、黄皮香。

三乌一点红药方

乌药、泽泻、乌米、饭根、鹤顶红各五钱，酒煎服。

吃素人受伤荤药不用方[①]

如地鳖、地龙、耳骨、象皮、胞胎等药，各用代之多用牛乳、人乳、陈酒、米醋制炼，各药亦效。

注 释

① 吃素人受伤荤药不用方：这一条是说，对于能吃素、不能吃荤的人，可以先将方中的地鳖、地龙等动物药用牛乳、人乳、陈酒、米醋等制炼后再用，药效也可以。

喉管割断方（兼治肚腹皮破）

用桑棉线缝之。如腹皮破，肠不损，可救，将万年青连根捣汁洗伤，自收[①]，用桑丝线缝之，先用止血丹搽伤处，服夺命丹二钱，次服接筋骨丹方、丸散药，全愈。[②]

注 释

① 自收：自然合拢 。

② 次服接筋骨丹方、丸散药，全愈：再服接筋骨的丹方、丸方、散方等药直至痊愈。全，通“痊”，后不另注。

草药方

槿松树根、猢猴竹根每岁一钱[1]，金雀花根、乌柏树根少用，格芯根、狮子头草根、天乔麦根每岁一钱，凤尾草、牛口刺根、酸草多用。

注 释

① 每岁一钱：意思不明。

上部分上中下三部用药方

形色相似，分其真假，均不可乱用误人。单鞭救主、马兰籐[1]、铁用籐、铁用籐、龙瓦金钱、遇山龙（茜草）、活血草（同上），牛口刺（即蔷薇），对开花、金钱薄荷、倒插金钗、五爪金龙、大五爪、小五爪各一钱，陈酒煎服。

注 释

① 籐：同“藤”。后不另注。

上部活血方

苏木、防风、马兰籐、刘寄奴、苏薄荷，酒煎服，如发肿，金鸡独立、金钱薄荷，陈酒煎服。

中部草药方

黄水蔸、雪里开花、山东青山内有，即万年青，闹杨花根必须用根，余俱不可用，小将军、七里香、独将擒王、金将花根（即金雀花根）、锦添树根、金丝毛草、七重宝塔，酒煎服。中部瘀血不清，必至泻，泻去自愈。

蝴蝶花（即射干），水竹根（即葱根），扁豆花，金丝吊鳌、九死还魂草（即卷柏），酒煎服。

下部草药方

威灵仙、川牛膝、七里香茶，圆花似桂花，一叶甚香、金蒂钟、蛟龙还山遍地香、红木香。

下部伤筋损骨药加方

倒挂金钟、活血草、夜合珠即赤首乌、健筋草，同煎。

上中下部草药方

洞裹仙、七星剑、凤尾草、九龙尾、莺爪刺、天乔麦同荞麦、金不换即三七，似竹鞭根、乱纷窠细叶是草、岩姜，陈酒煎服。

五虎散

闹杨花根、独将擒王、锦添树根、倒挂金钟各二钱，陈酒煎服，加灯心丸，搏[①]实，如圆眼大[②]，和药煎。

注释

① 搏：原文“搏”字误，当为“抟”字，意为把东西揉成球形。

② 如圆眼大：如桂圆（即龙眼）大。

地鳖紫金丹

血竭八钱，月石八钱，川断三钱，盐炒，五加皮五钱，童便制，川牛膝五钱，酒炙，麝香四分，自然铜八钱，醋炙，制胎骨三钱，地鳖五钱，酒制，土狗五钱，制，贝母三钱，苏木三钱，乌药五钱，炒，元胡五钱，醋炒，香附四钱，制，青木香四钱，当归五钱，酒炒，桃仁五钱，广皮三钱，灵仙五钱，酒炒，泽兰三钱，续随子二钱五分，去油，五灵脂三钱，干醋炒，共二十三味，研末，如重伤每服三钱，轻伤一钱五分，陈酒送下。[①]

注释

① 如重伤……陈酒送下：重伤每次服三钱，轻伤每次服一钱五分，用陈酒送下。

七厘散

盆硝八钱，广皮五钱，蓬术五钱，大黄六钱，赤川芎二钱五分，砂仁四钱，去壳，乌药三钱，地鳖八钱，酒洗，枳壳三钱，麦麸炒，当归六钱，酒浸，续随子五钱，去油，三棱三钱，醋炒，青皮三钱，木香六钱，去皮，血竭八钱，醋炙，土狗六钱，肉桂四钱，五加皮八钱，童便炙，巴豆霜二钱五分，炒，去油，五灵脂六钱，乳制，生蒲黄六钱，麝香二钱，胎骨粉五钱，右为二十三味，研末，如重伤二分半，轻伤一分半，再轻者一分，陈酒吞服，神效[①]。

注释

① 如重伤二分半……神效：重伤每次服二分半，轻伤每次服一分半，再轻的每次服一分，用陈酒送服，有神效。

治跌打方

地鳖三钱，胎骨二钱，龙骨二钱，地龙三钱，猴骨三钱，参三七三钱，血竭三钱，射[①]五分，没药三钱，飞朱砂二钱，自然铜三钱，木耳炭一钱，雄胆二钱，碎补二钱，黄连三钱，樟脑一钱，山羊血一钱五分，白用胆一个，南蛇胆一钱，研末用。

注释

① 射：麝香。

郑天文祖保命丹

专治一切跌打损伤、筋断、骨碎、皮破、血迷心窍、闷绝将死、饮食不进，撬齿灌下三分，待寸香时，便得还苏，[①]神效。

落得打，滴乳香去油，桃仁去皮，上官桂晒，血见愁，地鳖二两，醋炙，酒洗，元胡索酒炙，没药去油，琥珀同灯芯研细末，自然铜醋煅七次，鲜红花微炒，广木香晒，无名异煅，研，水飞，全当归酒炒，真降香晒，红志肉纸包，赶去油净，半两钱七个，核桃肉酒洗七个同捣糊。以上药各一两，共研细末，每服三分，陈酒吞下。不饮酒[2]，用当归、苏木二钱，煎汤送下，吃酒一杯，及重伤临危者，服之神效。

注释

① 待寸香时，便得还苏：等到点完一寸香的功夫，便能苏醒。

② 不饮酒：不能喝酒的人。

保命丹

乳香，没药三钱，去油，雄精二钱，飞朱砂一钱，麝香、冰片各五分，血竭三钱，红花二钱，自然铜四钱，煅，当归四钱，酒炙，赤芍三钱，童便炙，白芷二钱五分，盐炒，红曲三钱，地鳖四钱，酒洗，碎补四钱，去毛，白木耳炭一两，共研末，凡遇伤者，先服三钱，后用治伤药，加胡椒一钱五分。

接骨丹

当归二两，酒炒，乳香、没药各八钱，去油，泽兰、碎补各二两，酒炒，续随子生，二两，地鳖五钱，制，桂枝五钱，参三七三钱，自然铜二两，煅，血竭五钱，煅龙骨五钱，共十二味制，研细末，陈酒冲服二钱[1]。

注释

① 陈酒冲服二钱：每次二钱，陈酒冲服。

又方

制地鳖一钱，乳香、没药各一钱，去油，煅龙骨一钱，真血竭一钱，归尾一钱，酒浸，红花一钱，巴豆霜去油净，一钱，制半夏一钱，共九味，研末，每服一分，酒送下。

治跌打伤风散药方

地术四两，去皮，石斛一两，川乌、草乌去皮，一两，姜活、麻黄、蝉蜕、明天麻、细辛、防风、甘草各一两，荆芥二两，雄黄三钱五分，共研末，每服四钱。加葱白、紫苏、生姜，煎汤冲服，神效。①如损伤，瘀血阻滞，遍成毒②，系风火结毒，服之亦效。

注 释

① 加葱白……神效：用葱白、紫苏、生姜煎汤冲服药末（每次四钱），有神效。

② 遍成毒：疑为“逼成毒”。

第三节　丸药类

接骨丸一方

地鳖五钱，法夏、巴豆霜二钱，乳香、没药去油，三钱，归尾四钱，盆硝三钱，血竭二钱五分，共研末，烧酒为丸，陈酒冲二分，立效。①

注 释

① 烧酒为丸……立效：用烧酒和成小药丸，每次用陈酒冲服二分，立即生效。

接骨丸二方

巴豆霜去净油、当归五钱，桃仁、青皮八分，赤芍、枳壳、桔梗、麦芽、木通各一钱，红花，山药五钱，丹皮五钱，乳香，没药三钱，去油，川甲火酒炒、白檀香各三钱，酒为丸，红糖火酒吞下，①立效。

注 释

① 红糖火酒吞下：用红糖火酒送服。火酒，烧酒。

治伤夺命丸

木耳炭、紫金藤二两，桃仁、当归一两，红花五钱，五加皮二两，灵仙、还魂草一两半，白蚯蚓、地鳖各四十，制。前冲狗胎骨一个，滚酒冲洗，去毛、肠、脑、爪，火煅燥。①研末为丸，似圆眼大，金箔为衣，每一丸，陈酒吞服，神效。②

注 释

① 前冲狗胎骨……火煅燥：先将狗胎骨一副，用滚开的酒冲洗，去掉毛、肠、脑、爪，再用火煅烧至干燥。

② 研末为丸……神效：将以上各药及狗胎骨一起研成细粉末，做成桂圆大的丸药，外包金箔，每次吃一丸，用陈酒送吞，有神效。

扶身丸

血见愁五钱，落得打三两，蝼蛄虷三两，真辰砂五钱，没药去油净，三两，真麝香一钱，白木耳炭三两，共七味，研细末，大枣肉为丸①，似圆眼大，金箔为衣，凡遇干戈时，口含一丸嚼咽，有神效。②

注 释

① 大枣肉为丸：用大枣肉泥和成丸。

② 凡遇干戈时……有神效：凡是在作战、打斗时，口里含上一丸嚼咽，有神效。

六味地黄丸

茯苓乳浸，生地、杏仁、山萸、山药各四两，砂仁五钱，前胡三两，去皮，蒸晒七次，陈皮、泽泻各三两，丹皮、肉桂各二两。

共研末，蜜丸，梧桐子大，清汤空腹服。

三花丸

闹杨花，对开花，雪里开花。

三木香丸

青木香、白木香、红木香。

三香丸

七里香，遍地香，并地香。

第四节 敷药类

跌打掺药[1]方

乳香、没药去油，二钱，煅龙骨五钱，无名异二钱，炒，共研末，瓷器收贮，如骨折者，外体用。

注释

① 掺药：直接撒在伤口处的粉末状药。掺，音 chān。

封药方

治刀斧破伤，疼痛，出血不止，或腐烂，敷之立效。

乳香，没药二钱，去油，轻粉二钱半，雄精五钱，共研细末，贮瓶内。用时，菜油调敷破伤处。[1]若有脓血，用甘草汤洗净，以线系烤燥，封药敷之，外用旧黑绵纸贴，再缚上，止痛神效。[2]

注释

① 用时，菜油调敷破伤处：用的时候，用炒菜的油将药末调成糊，涂敷在破伤的地方。

② 若有脓血……止痛神效：如果伤口有脓血，先用甘草煎汤洗衣干净，用棉线点火移近烤干，再把封药涂上，药外面用旧黑绵纸贴住，再绑上，止痛有

神效。

又方

五倍子三两，炒蒸出汁，研末五分[①]，人参研末少许，松香五两，研末，敷之即愈。

注 释

① 五分：这两个字疑为衍字。

又方

小青皮，梓树根、叶，研末敷之，立止血。

又方

松香，白灰为青鱼脑壳即[①]圹内古石灰，少些研末，取韭菜汁和捣成团，放壁上通风阴干[②]，收贮听用[③]，此药宜三月初三、五月初五、七月初七，虔诚修合[④]，方效[⑤]。

注 释

① 即：原文“即”误，当作“及”字。

② 通风阴干：背阴通风处晾干。

③ 听用：听候使用。

④ 修合：制作。

⑤ 方效：才有效。方，才。

又方

乳香、没药、白占[①]、胎骨、甘石煅、象皮、冰片、阿魏、龙骨、儿茶、朱砂、轻粉、血竭、赤石脂、硼砂各二钱，研细末用。

注释

① 白占：蜂蜡别名白占、黄占。

又方

千年藤二钱，木瓜灰一钱，石圹灰三两，花蕊石一钱五分，共研细末，韭菜汁调，阴干，再研细用。[①]敷之立止血，神效[②]。

注释

① 共研细末……再研细用：以上四种药一起研成细末，用韭菜汁调成泥，阴干，再研成更细的粉末备用。

② 敷之立止血，神效：敷在伤口上，立刻止血，神效。

立效散（治破伤出血）

煅龙骨、赤石脂、胎发灰、灯心灰、真白占各三钱，冰片一分，儿茶三钱，生半夏二钱五分，血竭一钱，乳香、没药各二钱，去油，海螵蛸一钱，射[①]五分，共研细末，贮瓶听用，勿令出气。[②]

注释

① 射：麝香。

② 贮瓶听用，勿令出气：贮藏在瓷瓶中听候使用，密闭，不要让漏气。

第五节　膏药类

损伤接骨活血膏方

苍术四两，川椒三钱，赤芍四钱，元参三钱，莪术二钱，碎补三钱，川贝三钱，木瓜三钱，连翘四钱，苦参三钱，槟榔七钱，升麻二钱，白术三钱，地丁三钱，麻黄二钱，枳壳二钱，薏苡三钱，秦艽五钱，陈皮三钱，大黄三钱，黄柏二钱，白芷二钱，元胡三钱，红花二钱，柴胡三钱，大茴三钱，细辛二钱，川甲五钱，赤芍四钱，花粉二钱，杏仁三钱，杜仲四钱，黄芪二钱，防胶[①]四钱，乌药三钱，良姜五钱，紫苏四钱，熟地五钱，知母二钱，当归三钱，泽泻二钱，牛膝四钱，黄连二钱，黄芩二钱，滑石三钱，三棱二钱，桃仁五钱，川断四钱，香附三钱，厚朴四钱，桔梗三钱，青皮五钱，薄荷五钱，姜活四钱，独活四钱，木香三钱，赤敛二钱，前胡四钱，天冬二钱，麦冬二钱，姜虫三钱，丹皮五钱，猪苓二钱，官桂三钱，木通四钱，桂枝二钱，巴豆十粒，川芎三钱，生地六钱，查肉五钱，寄奴四钱，阿魏二钱，灵仙三钱，白敛二钱，加皮五钱，荆芥三钱，苏木五钱，桑皮三钱，共七十八味，真麻油七斤二两，夏浸药十日，春秋十五日，冬一月，[②]入锅内，以文、武火，煎至药化炭，去渣，[③]加葱白十个，梅干十个，酒三盏，山黄草一两一钱，蜈蚣十条，再熬数沸[④]，去渣，煎熬至滴水成珠，加黄丹一斤，水飞，炒七次[⑤]，铅粉三斤，炒，筛，松香一斤，文火下之[⑥]，收贮埋地存性，十数日可贴，另加渗药。[⑦]

注释

① 防胶：应为“阿胶”。

② 真麻油……冬一月：用真麻油七斤二两浸泡这些药，夏季泡十天，春秋泡十五天，冬季泡一个月。

③ 入锅内……去渣：将浸泡好的药油汤倒入锅内，先用大火烧沸，再用小火煎至药化成炭，除去药渣。

④ 再熬数沸：（加入新药后）再熬得滚沸上几次。

⑤ 加黄丹一斤，水飞，炒七次：再加入水飞并炒过七次的黄丹一斤。水飞，中药加工方法，边加水边研磨，这里当指水飞一次、炒一次，再水飞，再炒，共七次，以求达到研之极细的目的。

⑥ 文火下之：（再）在文水熬的过程中一边熬一边加入（黄丹、铅粉、松香）。下，加入。

⑦ 收贮埋地存性……另加渗药：密封装好，埋于地下以保持药性不变，十几天后就可以贴了，贴敷时另外再加上掺药。渗药，应为“掺药”，使用时直接往伤口上撒的粉末药。

治损伤膏药方

归尾、桃仁、红花、川断、五加皮、碎补、灵仙各五钱，肉桂、赤芍、防风、羌活、荆芥、淮药各四钱，白芷二钱，甘草二钱，虎骨一两，金银花三钱，松香五两，水粉四两，炒黄，黄丹四钱，炒，铅粉四两，炒，麻油三斤十两，药浸油内，春秋五日，夏三日，冬七日。[①]宜天一生气吉日，放入锅内，煎至枯焦，去渣，再煎，油滴水成珠，方入松香、水粉、铅粉、黄丹等，加阿魏四两，血竭四两，麝香一钱，除火，投入和匀。[②]凡煎药膏丹，须用桑枝、杨柳条共搅。[③]煎好收起，须存性。

注 释

① 麻油……冬七日：用麻油三斤十两（旧时十六两为一斤），将松香、水粉、黄丹、铅粉以外各种药浸在油内，春秋浸五天，夏季三天，冬季七天。

② 宜天一生气……投入和匀：应该选择天一生气的吉日，将浸透的药油倒入锅内，先武火、后文火煎至枯焦，去掉药渣，再煎，煎至药油滴入成珠时，才加入松香、水粉、铅粉、黄丹等四种药，此时移去火，再投入阿魏四两、血竭四两、麝香一钱和匀。

③ 凡煎药……杨柳条共搅：凡是煎药做膏、丹，要用桑树枝、杨柳树一起搅拌（不可用竹筷，更不可用铁勺、铁铲等）。杨柳，即“柳”，不可理解成“杨树和柳树”。

又方

五加皮二两，紫丁香三钱，荆芥八钱，知母、厚朴一两，虎骨一两，血竭一两，松香五钱，老姜四两，大蒜四两，蒜头[①]四两，桑白皮一两，麻油二斤半，煎成膏，加铅粉半斤，炒黄，麝香一钱，轻粉五钱，除火，取起，存性贴，神效。

注 释

① 蒜头：当为“葱头”。

治年久损伤、翻覆[①]骨脊疼痛、湿漏、风骨等症膏

鹤合五斤，油五斤，煎好，用铅粉一斤十两，炒黄，收之为生膏药，存性，效。再加肉桂三钱，射八分[②]，麻油四两，木香一钱，香附一两，当归

一两，红花一两，灵仙一两半，寄奴两半[③]，黄丹油炒黑、血竭、五加皮酒炒，各二两，乳香去油、没药去油，各二钱，共研末，煎贴患处，无不全愈。

注释

① 翻覆：反复（发作）。

② 射八分：麝香八分。

③ 寄奴两半：刘寄奴一两半。

千槌膏

治跌打损伤，兼治无名肿毒、顽疮、瘰疬，神效。

铜绿二两，杏仁三两六钱，轻粉一钱，松香透明，四钱五分，黄占[①]二钱，草麻子去壳，五钱八分，没药三钱，去油净，龙骨煅，三钱，右药，水浸去毒，共捣千余槌，瓷器收贮。[②]用时温汤化软，红布、油纸摊贴，松香调化，放铜绿。若烂疮，加龙骨、轻粉。[③]

注释

① 黄占：蜂蜡别名黄占、白占。

② 右药……瓷器收贮：以上各药，先用水浸泡去毒，在石臼中用石捶捣千余次，收入瓷器贮藏。

③ 用时温汤……加龙骨、轻粉：使用时，先用温水化软，再摊开在红布、油纸上，将松香调化开，放上铜绿。如果是烂疮，则加重龙骨、轻粉的用量。

洗疮膏

麻油三两，黄蜡二两，黄丹炒，一钱，乳香去油，三钱，先将油煎滚，次入蜡一滚，又下黄丹、乳香，除火和匀，听用[1]。

注 释

① 先将油煎滚……听用：先将油煎得滚起来，再加入黄蜡（蜂蜡）滚一遍，再加入黄丹、乳香，移去火，搅匀，听候使用。

敷药膏

乳香，没药去油，一两三钱，龙骨三钱，大黄、地榆、血竭三钱，桃仁、红花、陈皮、川断、五加皮、灵仙、碎补、赤芎[1]、丹皮、川芎、参三七、当归、白芷各二两，共研末，麻油斤半，煎至滴水成珠不散，入黄丹十两，调匀末药，收膏，存性，贴。

注 释

① 赤芎：当为“赤芍”。

金疮长肉膏

赤石脂醋煅，五钱，乳香、没药去油，各三钱，龙骨醋煅，三钱，朱砂二钱，川连二钱，胎骨三钱，贝母五钱，文蛤焙，五钱，黄柏三钱，角黄二钱，童便煅，儿茶二钱，鹿角二钱，煅炭，生石膏二两一块。用黄泥、童便调烂，将石羔一味入泥内，火煅燥，取出，存性，[1]共研细末，同加麻油煎成膏。[2]看伤轻重，轻上二三钱，重上四五钱，贴患处，立效[3]。

注 释

① 用黄泥……存性：先用黄泥和童小便调烂，再将石膏用泥裹住，放在火里煅烧至干燥，取出来，保持药性。原文“羔”字误，当为“膏”。

② 共研细末，同加麻油煎成膏：以上各药（包括煅好的石膏）一起研成细粉末，再一起加入麻油中煎成膏。

③ 看伤轻重……立效：看伤的轻重，轻的摊上二三钱，重的摊上四五钱，贴在患处，立刻生效。

接骨膏（一名豆尖膏，又名鼠菉膏）

用鼠粪两头尖者，槌晒干，研末，菉豆粉炒黄色，飞罗面粉亦可[①]，生猪油去筋膜，槌捣成膏，略炒微熟，用棉絮做成膏[②]，贴患处，小榆树皮夹之，或桑树皮亦可夹之。

注 释

① 飞罗面粉亦可：如果没有菉豆面粉，改用罗得很细的白面粉（炒熟）也可以。

② 用棉絮做成膏：加上棉絮和成膏。

损伤接骨膏

五加皮一两，乳香、没药各三钱，葱头四个，大蒜四个，糯米饭一匙，红曲三钱，白药一个，共捣糊，贴患处，三日一换，二服[①]，其骨自接，第七日用膏贴，全愈。

注 释

① 二服：贴两次。

白玉膏

白占、黄占各一两，儿茶，乳香去油、没药去油，各三钱，银硃三钱。生猪油二两熬去渣，加葱白，共煎如炭色，取油滴下成珠，入白占化过，取入碗内，投入药和匀，存性，三日可用。[①]

注 释

① 生猪油……三日可用：先将生猪油二两熬好，除去渣，再加入适量葱白，一起煎至灰黑色，到油滴水成珠时，入进去白占化开，倒入碗内，再投进去其余各药搅匀，保持药性，三日后可以使用。

雷火针切忌法

治损伤远年不愈，内有瘀血，全身疼痛，风雨时遍身酸胀者是也。发疼胀时，从何处起即将穴内灸一火针，神效，用雷火针。

雷火针切忌、血运行部位、时辰法列下（欲知气血论）：

欲知气血注何经？子胆丑肝肺主寅；大肠胃主卯辰真，脾巳心午未小肠；若问膀胱肾络焦，申酉戌亥是本根。[①]

血行止十二时各大穴道诀云：

子踝丑腰寅在目，卯面辰头巳手足，午胸未腹申心中，酉脾戌头亥踝续此是内外血运。

又定四季八神血运切忌云：

春左胁，夏膝足，秋右胁，冬腹肾。

又十天干神：

甲气血顺行，甲头、乙喉、丙肩、丁心、戊腹、己背、庚辛膝、壬胸、癸足。凡内外，血运行之处，切须看明，不可误人，血运即人一身之命根也，故云凡灸火更不可乱治，慎之慎之！

雷火神针方此方针灸，必须看明穴道，格外神效，或灸痛处亦可

乳香，没药三钱，去油，川乌，草乌一钱，去皮，天竺黄、雄黄、甘松、山柰、苏子、白芷、苍术、香草、脑冰各二钱，檀香、川羌、防风各三钱，鹁鸽粪干，四钱，蜈蚣三条，蕲艾二两，减分一两，真射一钱②，共研细末，用火红包卷，外用荆川纸同卷紧③，再用鸡蛋青④、乌金纸封定，不可令其出气。用时以红布四五层，替人身上⑤，又用蒜一片贴肉，点正穴道更妙⑥，或灸痛处，亦效。

注释

① 欲知气血注何经……申酉戌亥是本根：这一段讲十二时辰中人身气血流注的经脉：子时胆经，丑时肝经，寅时肺经，卯时大肠经，辰时胃经，巳时脾经，午时心经，未时小肠经，申时膀胱经，酉时肾经，戌时心包经，亥时三焦经。络，心包络，即心包经。

② 真射一钱：真麝香一钱。

③ 同卷紧：（里外两层）一起卷紧。

④ 鸡蛋青：即鸡蛋清。

⑤ 替人身上：覆盖在病人身上。

⑥ 点正穴道更妙：对准相应穴道更妙。

又方

麝香八分，甘松五分，山柰一个，苍术三个，白芷三钱，细辛一钱，川羌二钱，蕲艾一两，薄荷二钱，五加皮三钱，独活二钱，附子四钱，草乌一个，去皮尖，共研极细末，纸卷筒，照前法灸之，神效。

凡雷火针，百病皆可灸治。大忌气、色[①]二月，以及新鲜油、腻、煎、炒，一切发汛动气等物，要忌一月，十日内忌茶叶、灯心[②]、广皮[③]，凡养病者，一切心事，诸般放宽，培养精神为要。

注 释

① 气、色：生气和女色。

② 灯心：灯心草。

③ 广皮：广陈皮。

艾灸法

治膀胱、胞肚、打伤、小便闭急。

先用麝香一分入脐内，又用白矾一钱五分，水飞，盐一撮盖之。用艾火灸三次为度，其便即通，立效。

吹鼻散

煅猪牙皂三钱，皂角焙干，二钱，白芷炒，二钱五分，麝香三分，淡砂二钱，细辛一钱五分，半夏二钱，共研细末，瓷器收贮，不令出气。无论缢死、魇死、产后血晕死，胸中稍有暖气者，将药吹入鼻内即苏[①]，神效。

注释

① 苏：苏醒。

点穴秘诀终

薛颠武学辑注

（形意拳术讲义上编　形意拳术讲义下编　象形拳法真诠　灵空禅师点穴秘诀）

薛　颠　著　　王银辉　校注　　　　　　　　　　　　定价：348 元

（第二辑）

陈鑫陈氏太极拳图说（配光盘）

陈　鑫　著　　陈东山　陈晓龙　陈向武　校注

董英杰太极拳释义

董英杰　著　　杨志英　校注

许禹生武学辑注

（太极拳势图解　陈氏太极拳第五路　少林十二式）

许禹生　著　　唐才良　校注

（第三辑）

李剑秋形意拳术

李剑秋　著　　王银辉　校注

刘殿琛形意拳术抉微

刘殿琛　著　　王银辉　校注

靳云亭武学辑注

（形意拳图说　形意拳谱五纲七言论）

靳云亭　著　　王银辉　校注

（第四辑）

武学古籍新注丛书

王宗岳太极拳论

李亦畬　著　　二水居士　校注　　定价：50 元

太极功源流支派论

宋书铭　著　　二水居士　校注　　定价：68 元

太极法说

二水居士　校注　　定价：65 元

（第一辑）

手战之道

赵　晔　沈一贯　唐顺之　何良臣　戚继光　黄百家　黄宗羲　著

王小兵　校注

（第二辑）

百家功夫丛书

张策传杨班侯太极拳108式　（**配光盘**）

张　喆　著　　韩宝顺　整理　　定价：48 元

河南心意六合拳　（**配光盘**）

李洳波　李建鹏　著　　定价：79 元

（第一辑）

形意八卦拳

贾保寿　著　　武大伟　整理　　定价：49 元

张鸿庆传形意拳练用法释秘　邵义会　著
王映海传戴氏心意拳精要　王映海　口述　王喜成　主编
戴氏心意拳功理秘技　王　毅　编著

（第二辑）

华岳心意六合八法拳　张长信　著
程有龙传震卦八卦学　奎恩凤　著
杨振基传太极拳内功心法　胡贯涛　著
刘晚苍内家功夫及手抄老谱　刘晚苍　刘光鼎　刘培俊　著

（第三辑）

民间武学藏本丛书

守洞尘技　崔虎刚　校注
通臂拳　崔虎刚　校注
心一拳术　李泰慧　著　崔虎刚　校注
六合拳谱　崔虎刚　校注
少林论郭氏八翻拳　崔虎刚　校注

（第一辑）

心意拳术学　戴　魁　著　崔虎刚　校注
武功正宗　买壮图　著　崔虎刚　校注
太极纲目　崔虎刚　校注
神拳拳谱　崔虎刚　校注
精气神拳书·王堡枪　崔虎刚　校注

（第二辑）

老谱辨析点评丛书

再读浑元剑经　马国兴　著

再读王宗岳太极拳论　马国兴　著

再读杨式老谱　马国兴　著

再读陈氏老谱　马国兴　著

（第一辑）

民国武林档案丛书

尚武一代——中华武士会健者传　阎伯群　编著

太极往事　季培刚　著

（第一辑）

拳道薪传丛书

三爷刘晚苍——刘晚苍武功传习录

刘源正　季培刚　编著

慰苍先生金仁霖——太极传心录　金仁霖　著

习武见闻与体悟　陈惠良　著

（第一辑）

定价：54 元

图书在版编目(CIP)数据

薛颠武学辑注. 灵空禅师点穴秘诀/薛颠著; 王银辉校注. ——北京:北京科学技术出版社, 2017. 1

ISBN 978 - 7 - 5304 - 8440 - 1

Ⅰ. ①薛… Ⅱ. ①薛… ②王… Ⅲ. ①武术 - 研究 - 中国 ②点穴 - 研究 - 中国 Ⅳ. ①G852

中国版本图书馆 CIP 数据核字(2016)第 131975 号

薛颠武学辑注——灵空禅师点穴秘诀

作　　者:薛　颠
校 注 者:王银辉
策　　划:王跃平　常学刚
责任编辑:李金莉　苑博洋
责任校对:贾　荣
责任印制:张　良
封面设计:张永文
封面制作:木　易
版式设计:王跃平
出 版 人:曾庆宇
出版发行:北京科学技术出版社
社　　址:北京西直门南大街 16 号
邮政编码:100035
电话传真:0086 - 10 - 66135495(总编室)
0086 - 10 - 66113227(发行部)　0086 - 10 - 66161952(发行部传真)
电子信箱:bjkj@ bjkjpress. com
网　　址:www. bkydw. cn
经　　销:新华书店
印　　刷:保定市中画美凯印刷有限公司
开　　本:787mm × 1092mm　1/16
字　　数:102 千字
印　　张:13. 5
版　　次:2017 年 1 月第 1 版
印　　次:2017 年 1 月第 1 次印刷
ISBN 978 - 7 - 5304 - 8440 - 1/G · 2482

定　　价:66. 00 元